Jean-Baptiste, coureur des bois

ŒUVRES DE ROBERT DAVIDTS
CHEZ LE MÊME ÉDITEUR

Les parfums font du pétard, 1992.

Le Trésor de Luigi, 1993.

Le Soleil de l'ombre, 1994.

Bingo à gogos, 1994.

Francis Back
Robert Davidts

Jean-Baptiste, coureur des bois

ou

Récit d'un aventureux périple de Montréal à Michillimakinac par le sieur Jean-Baptiste Létourneau, dit Petit-Baptiste, natif du village de Lachine en la Nouvelle-France, aussi vulgairement appelée le Canada

Boréal

Les Éditions du Boréal remercient le Conseil des Arts du Canada ainsi que le ministère du Patrimoine canadien et la SODEC pour leur soutien financier.

Illustrations : Francis Back

Dépôt légal : 3e trimestre 1996
Bibliothèque nationale du Québec

Diffusion au Canada : Dimedia
Distribution et diffusion en Europe : Les Éditions du Seuil

Données de catalogage avant publication (Canada)

Davidts, Robert

Jean-Baptiste, coureur des bois

(Boréal junior ; 48)

ISBN 2-89052-775-1

I. Back, Francis. II. Titre. III. Collection.

PS8557.A8186J42 1996 jC843'.54 C96-940770-X
PS9557.A8186J42 1996
PZ23.D39Je 1996

À nos premiers jeunes lecteurs,
Laurence, Gabrielle et Julien,
qui ont l'âge de l'aventure.

Note des auteurs

Le récit que vous allez lire est authentique. Nous avons découvert les manuscrits de Jean-Baptiste Létourneau à Lachine, sous le plancher d'une maison qu'il aurait habitée. À quelques heures près, ils seraient devenus illisibles. En effet, la pluie abondante avait fait proliférer sur les cahiers d'énormes champignons d'une espèce plutôt rare, le *Crocus alphabeticus.* La principale caractéristique de ce champignon étant d'effacer les mots, vous comprendrez que nous nous sommes empressés de soustraire l'œuvre de Jean-Baptiste à ses spores infernales. Nous nous sommes vite aperçus de la valeur inestimable de ce que nous avions sous les yeux : des récits d'une époque révolue que nous connaissons fort mal. La plupart des éminents savants que nous avons consultés sont restés perplexes quant à l'authenticité des manuscrits mais, pour nous, il ne fait aucun doute que cette histoire est vraie. D'ailleurs, tous les noms en italique sont ceux de personnages qui ont réellement existé. Ce récit, donc, est la transcription intégrale du premier cahier. Il nous reste encore à déchiffrer les autres. Nous espérons que celui-ci vous plaira autant qu'il nous a plu.

1

Où le rêve de Jean-Baptiste brûle comme un feu de paille

Lachine, 28 avril 1749.

Pétard de sort ! Si j'ai pris la décision de tenir un journal aujourd'hui, c'est pour me distraire de l'ennui mortel qui règne par ici.

À part compter les nuages, il n'y a vraiment rien d'intéressant à faire dans mon village. Planter des choux n'a jamais été mon fort, et mon père devient bête comme un veau rouge chaque fois que je lui dis que je ne veux pas être fermier. Moi, mon rêve, c'est de devenir coureur des bois comme Grand-Baptiste, son plus vieil ami. Autant mon père est accroché à la terre comme une puce à un chien, autant Grand-Baptiste ne tient pas en place. Chaque fois qu'il vient faire son tour pour nous raconter ses histoires, je suis celui qui l'écoute avec le plus de ferveur. Son prénom est Jean-Baptiste. Bien qu'il ait le même prénom que moi, il a un surnom qui lui va bien, car il est fort comme un ours et plus grand qu'un clocher d'église. Il ne vit que pour l'aventure et, tout au long de ses voyages, il a appris mille et une choses, dont quatre langues indiennes. Il a même été adopté par les Indiens Arkansas qui vivent très loin d'ici, en Louisiane.

Un jour, il me dit :

– Viens, Jean-Baptiste, je t'emmène à l'auberge.

– Au *Gros Raisin* ? Mais... mon père...

– Laisse ! Avec moi, tu ne risques rien. Si ton père y trouve quelque chose à redire, il ira le dire aux vaches.

En principe, à mon âge, je n'ai pas le droit d'entrer à l'auberge. Mais, souvent, je m'y rends en cachette pour observer les coureurs des bois par les fenêtres. Je suis fou de joie à l'idée d'y pénétrer aujourd'hui. Fin avril, c'est jour de fête, car on embauche ceux qui vont partir dans les Pays-d'en-Haut. *M. Pothier,* un marchand de Montréal, fait signer les actes d'engagement et verse des acomptes sur l'argent du prochain voyage.

La grande salle baigne dans la fumée des pipes. Mes yeux s'écarquillent à la vue de tous ces aventuriers qui crient et rient si fort que les murs doivent s'en boucher les oreilles.

Assis à ses côtés, j'écoute Grand-Baptiste me décrire quelques-uns des hommes qui font partie de sa brigade.

– Tu vois celui avec une grosse boucle d'oreille, me dit-il, il se nomme Ladéroute. Il s'est déjà battu seul contre trois ours enragés et il m'a avoué qu'il aurait pu facilement en affronter un quatrième. Quant à celui qui porte sa tuque enfoncée sur les oreilles, il s'appelle Laboucane. Il a déjà rencontré un Indien à quatre jambes qui courait plus vite qu'un lièvre.

– Et l'homme avec du poil qui lui sort du nez et qui n'arrête pas de nous regarder ?

– Ah ! Celui-là, c'est Sansfaçon, le pire de mes concurrents. Il travaille pour le marchand

Nolan Lamarque. Sa brigade n'a jamais pu arriver avant la mienne à Michillimakinac, le poste de traite. Il s'est juré de me battre à tout prix, mais il faudrait qu'il prenne le départ avec au moins une semaine d'avance pour y parvenir.

Fasciné, j'observe tous ces hommes qui ont connu plus d'aventures qu'il n'y a d'épis de blé dans le champ de mon père.

Soudain, comme dans un rêve, je me tourne vers Grand-Baptiste et d'un ton décidé je dis :

– Cette année, je pars avec toi !

Surpris, Grand-Baptiste me regarde un instant puis éclate de rire. Mais, voyant que je suis sérieux, il reprend son calme, fronce les sourcils et laisse tomber ces mots :

– Corbleu ! Tu ne penses pas plus loin que

ton nez. Être fermier est un bon métier. Bientôt, tu gagneras ta vie honnêtement et tu te marieras. Tu auras ta maison et des enfants. Regarde-moi en comparaison ! Chaque année je dois courir les chemins sans savoir si je vais me faire scalper par un Indien scélérat ou envoûter par un carcajou. De plus, je commence à me faire vieux pour ce métier. Tout l'argent que je gagne me brûle les doigts, et la chambre que je loue est tellement petite que tout ce que je possède tient dans une malle pas plus grande que toi.

– Mais tu es le meilleur des coureurs des bois. Ton canot vole sur l'eau. Les Indiens te traitent avec respect et tu rapportes plus de fourrures à *M. Pothier* que n'importe lequel de tes concurrents. Je veux partir avec toi.

Grand-Baptiste n'a pas le temps de me répondre. Tout à coup, la porte s'ouvre avec fracas. Mon père s'engouffre dans l'auberge, plus furieux qu'une marmotte qu'on vient déranger dans son sommeil. Il se précipite aussitôt vers moi et me donne une baffe derrière la tête tout en criant :

– Combien de fois t'ai-je dit que je ne voulais pas te voir par ici ?

– Voyons, Louis, commence Grand-Baptiste, c'est moi qui…

– Je sais que c'est toi qui lui remplit la tête avec tes menteries de voyageur, Jean-Baptiste Fournaise. Mais mon Jean-Baptiste sera fermier comme moi. Je ne veux pas d'un rêveur qui baye aux corneilles dans ma maison.

Sous les regards amusés de l'assistance, je me fais traîner par l'oreille jusqu'à l'extérieur. En sortant, pour le bonheur de tous, mon père rajoute :

– Pour ta pénitence, tu iras nettoyer la soue.

***

Tout le monde a déjà nettoyé une soue au moins une fois dans sa vie et sait qu'il n'y a là rien de drôle. Sauf peut-être mes deux idiots de frères, Simon et Jean, qui ne se privent pas de venir m'admirer, pelle à la main, pataugeant dans le purin.

– Alors, Jean-Baptiste, tu vas encore sentir le cochon toute la semaine?

À ces mots, je ne peux empêcher ma pelle de s'envoler. J'envoie une grosse giclée de purin au visage de Simon qui se met à crier comme un putois. Aussitôt, mes deux frères courent vers la maison en braillant. Abandonnant mon outil, je pars me cacher dans la grange pour éviter la correction de mon père.

Près d'un gros tas de foin, je remarque une petite planche de bois. J'ai aussitôt l'idée de faire un feu à l'indienne, ainsi que Grand-Baptiste me l'a montré un jour. Je ramasse un bâton que je fais tourner très vite sur le bout de bois entouré de quelques brins secs. Une petite langue de fumée se met à danser sous mes yeux. Je recule pour mieux observer les résultats de mon expérience, mais je m'en lasse vite et je décide de chercher autre chose pour m'amuser.

Soudain, un cri dans lequel je reconnais la voix de mon père me fait sursauter.

– Sacrebleu ! Y'a le feu à la grange !

Je me retourne vers l'endroit où j'étais une minute plus tôt et je m'aperçois que la paille s'est enflammée. Je me précipite pour essayer de l'éteindre mais, avant que je n'aie pu réussir à le faire, toute ma famille arrive en courant avec pelles, seaux et marmites. Comprenant que tout est ma faute, mon père me jette des regards furieux tout en tapant du pied sur les flammes. Moins de cinq minutes plus tard, le feu est mort. Quant à moi, j'aimerais bien me transformer en carotte afin de disparaître sous terre car, excédé, mon père me lance entre ses dents serrées :

– Tu es pire qu'une souris sans cervelle ! Je pensais bien que tu tournerais en enfant de galère, mais je n'aurais jamais cru que tu mettrais le feu à la grange. Demain, à l'aube, je pars pour Montréal. Tiens-toi prêt, car tu viens avec moi !

Je fonds comme une chandelle au soleil. C'est la première fois que je vois mon père aussi en colère. S'il a décidé de m'amener à la ville, c'est qu'il doit avoir une bonne raison. J'ai l'impression que je ne reverrai plus la ferme avant un bon bout de temps.

2

Où Jean-Baptiste se fait un ennemi féroce

Montréal ! La grande cité. Avec ses nombreuses maisons de pierre et entourée de ses hautes murailles, la ville m'apparaît comme un royaume de légende. L'église Notre-Dame et le château du gouverneur sont énormes. Les rues grouillent d'activité. On peut y voir de nombreux soldats, des artisans affairés et des marchands au ventre rebondi. Des cochons courent partout en grognant, éclaboussant les robes des jolies dames distraites. Après le calme de la campagne, toute cette vie me semble diablement excitante.

Pourtant, cela ne devrait pas. Depuis que nous sommes partis de la ferme, à l'aube, mon père n'a dit que deux phrases :

– Je t'amène chez *M. Douillard,* le cordonnier, en espérant qu'il t'acceptera comme apprenti. Ainsi, au moins, les récoltes ne seront plus en danger.

– Mais, père…

Je n'ai pas continué, car j'ai reçu une nouvelle taloche et j'ai préféré me taire.

Bientôt, nous nous arrêtons devant la boutique de *M. Douillard.* C'est une maison de bois un peu de travers avec une enseigne en forme de soulier au-dessus de laquelle est inscrit : *Au Bien Chaussé.*

Le patron, un petit homme au gros bedon, coiffé d'une vieille perruque mal peignée, sort de sa boutique en souriant. Son air niais me dit qu'il ne doit pas avoir grand-chose entre les deux oreilles.

La discussion est longue entre les deux hommes. Le cordonnier ne cesse de me lancer des regards. Avant que je ne puisse m'en rendre compte, je me retrouve chez le notaire *Simonnet* pour signer mon contrat d'apprentissage. Voilà comment un petit feu de rien du tout peut vous transformer en cordonnier.

Mon père me quitte devant la boutique. Je crois bien que c'est la première fois qu'il me serre dans ses bras. Il me dit :

– Jean-Baptiste, tu es un vrai petit diable, mais tu as un bon fond. Ne me déçois pas et ne fais pas trop tourner *M. Douillard* en bourrique.

Là-dessus, il me donne une dernière petite tape affectueuse, histoire que je me souvienne de lui et, pressé, il me quitte comme s'il avait le feu aux fesses.

***

M. Douillard est veuf et ses enfants sont grands et mariés. Il ne partage plus sa maison qu'avec un autre apprenti, un certain Claude Chavanne qu'on surnomme Frapped'abord et à qui il ne reste que deux années d'apprentissage avant que de devenir cordonnier.

Dès le premier instant où je vois mon nouveau compagnon, je sais que, entre nous deux, les choses ne vont pas être faciles. Et j'ai la nette impression qu'il pense la même chose. Ce grand dadais aux dents de travers a des mèches de cheveux qui partent dans toutes les directions, des petits yeux fouineurs et une voix qui lui sort des narines. Chez nous, à Lachine, on l'appellerait tête de rat.

La cordonnerie est minuscule. Il n'y a qu'une petite cuisine, la chambre du maître et une autre pièce qui sert d'atelier. Dans un coin de celui-ci, une échelle mène au grenier. *M. Douillard* y grimpe avec difficulté, en soufflant. Je pense bien pouvoir lui donner un coup de main en poussant son gros derrière, mais je m'abstiens. Je me contente de le suivre pour découvrir l'endroit que je devrai partager avec mon compagnon. Mon maître m'indique une paillasse que je peux installer à ma guise dans un coin. Je la tire le plus loin possible de celle de Frapped'abord. Je ne tiens pas à avoir sa vilaine figure trop près de moi à mon réveil.

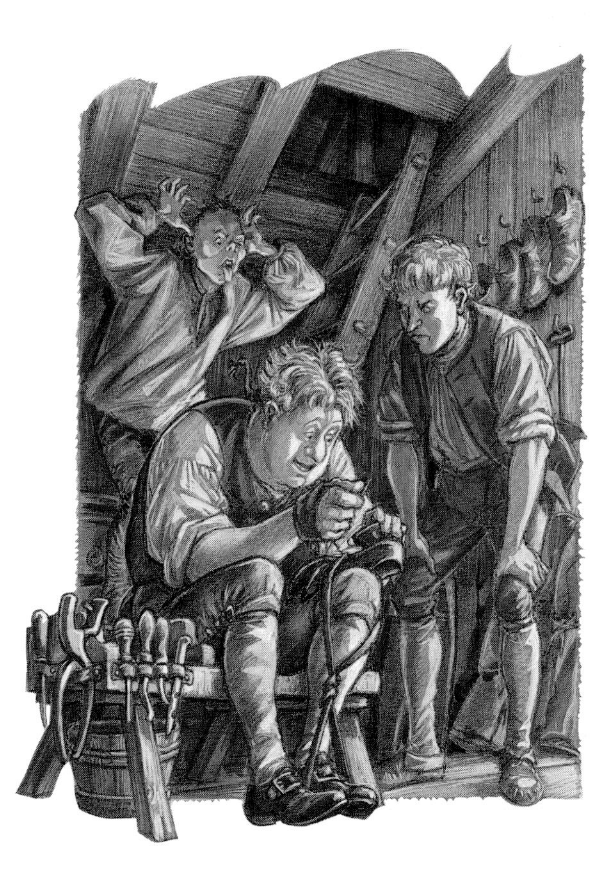

De retour au rez-de-chaussée, pendant que *M. Douillard* m'explique l'usage des différents outils que je devrai utiliser, Frapped'abord en profite pour me faire de méchantes grimaces. Son manège m'énerve, mais je dois attendre la fin du souper avant que de me retrouver seul avec lui. Aussitôt montés au grenier, je ne me gêne pas pour lui faire part de ce que je pense de lui.

– Espèce de niquenouille! Je n'ai pas l'intention d'endurer tes insolences. Tiens-toi tranquille ou je te fais passer le goût du pain!

En me faisant un grand sourire de ses dents croches, il me répond:

– Écoute, puceron! Je suis plus âgé et plus fort que toi, alors prends ton coin. J'étais très bien tout seul. Et voilà que le vieux barbon me colle un petit foutre-midrille. C'est moi qui commande ici. Sais-tu pourquoi on me surnomme Frapped'abord?

Il n'a pas le temps de me l'apprendre, mon poing fermé se trouve aussitôt collé à son œil gauche. Une bagarre s'ensuit où nous recevons chacun notre part de coups. Elle ne prend fin que lorsque, de la trappe, nous voyons surgir la tête de *M. Douillard* qui nous crie:

– Que signifie? Quel est ce bruit infernal? Si vous devez faire du tapage, faites-le en silence, je ne veux plus rien entendre!

Une fois couché dans mon lit, je me mords les doigts à l'idée que je devrai supporter l'insupportable Frapped'abord pendant encore deux années. Énervé, je grogne tout haut sans m'en rendre compte :

– Pétard de sort ! Si tu penses que je vais

rester longtemps ici. Bientôt je serai très loin et ce n'est pas toi qui vas m'en empêcher.

Je m'endors aussitôt après, si bien que je ne sais pas si c'est dans un rêve ou dans la réalité que j'entends Frapped'abord ricaner méchamment.

3

Où nous voyons Jean-Baptiste mettre une maison de cordonnier sens dessus dessous

Pendant tout l'automne et l'hiver, je m'applique à mon apprentissage chez *M. Douillard* qui semble très content de moi. J'ai rapidement appris à prendre les mesures, à tailler le cuir et à clouter des semelles. Malgré cela, je ne peux m'enlever de la tête le désir de courir les bois aux côtés de Grand-Baptiste.

Dans son coin, Frapped'abord rumine. Je le vois bouillir de rage et verdir de jalousie quand il constate mes rapides progrès.

Presque chaque soir, nous reprenons nos bagarres, car la guerre s'est définitivement installée entre lui et moi. Il cache mes outils afin de retarder mon travail. Je me venge en jetant discrètement un morceau de savon dans son bol de soupe, et ainsi de suite. Par bonheur, *M. Douillard* ne se rend compte de rien.

De temps en temps, je reçois la visite de ma famille. L'hiver, Grand-Baptiste vient aussi faire son tour, car il passe une bonne partie de cette saison à Montréal. J'attends chacune de ses visites avec l'impatience d'un ours découvrant une ruche pleine de miel.

Au mois d'avril, tandis que nous nous promenons, il me lance en riant :

– Bientôt tu ne t'appelleras plus Jean-Baptiste, mais Jean le cordonnier.

Fâché, je lui réponds aussitôt :

– Ne ris pas de moi, pétard de sort !

Je ne peux pas croire que je vais passer ma vie enfermé dans une petite pièce à fabriquer des souliers. Depuis un an, je m'ennuie autant qu'une chouette dans sa cage. Tout ce que je désire, c'est m'en échapper pour devenir coureur des bois.

Grand-Baptiste n'ose pas répondre. Pour me calmer, il m'amène manger une brioche chez *Gervaise*, le boulanger.

***

Mon absence a été de courte durée, mais l'odieux Frapped'abord a tout de même profité de cette occasion pour défaire toutes les coutures d'une belle paire de mocassins que je venais de terminer. Quatre heures de travail gâchées. Ma vengeance va être terrible !

Au souper, je prétexte un malaise afin de monter au grenier le premier. Là, je m'installe debout sur un tabouret et j'attends que Frapped'abord montre son sale museau. Au bout de dix minutes, je l'entends grimper. La trappe se soulève doucement. D'un coup, je prends mon élan et je saute sur le panneau à pieds joints. Il y a d'abord un bruit sec, celui du bois cognant une tête, puis un gros boum suivi de plusieurs gémissements et de mots grossiers dont

certains que je n'avais encore jamais entendus. Je suis pris d'un énorme fou rire et c'est les larmes aux yeux que je soulève la trappe afin de voir la tête cabossée de mon cher ennemi.

Mon rire s'étouffe dans ma gorge, car ce n'est pas Frapped'abord que j'aperçois, mais *M. Douillard* dont je viens de démolir le crâne. Sa perruque est tombée sous le choc, et je vois grossir à vue d'œil une énorme bosse sur sa tête chauve. Il exécute une danse étrange qui consiste à sauter trois fois sur le pied gauche puis trois fois sur le pied droit, tout en se tenant et la tête et le fond de culotte. En dégringolant, il s'est planté une aiguille de cordonnier dans la fesse gauche.

Frapped'abord, loin de l'aider, lui crie de sa voix nasillarde :

– Voilà le genre de traitement que ce petit monstre me fait subir. Il causera votre ruine ! Vous êtes monté pour prendre des nouvelles de sa santé et voyez comment il vous en remercie.

M. Douillard n'a pas l'air d'apprécier.

– Tais-toi, nigaud ! Je m'occuperai de lui plus tard ! Cours plutôt chercher *M. Sylvain*, le médecin, je souffre de partout !

Épouvanté, j'observe la scène du grenier sans oser dire un mot. Pendant ce temps, *M. Douillard* gémit d'une voix plaintive :

– Ouille ! Ouille ! Ouille ! Jamais plus je ne pourrai m'asseoir. Ce petit bandit a voulu ma mort. Maudit soit le jour où je l'ai pris comme apprenti ! Quant à l'autre grand imbécile, il ne vaut guère mieux. Il ne perd rien pour attendre.

***

Après la visite du médecin, Frapped'abord vient m'annoncer en souriant que *M. Douillard* désire me voir. J'y vais à reculons. Couché sur

le ventre au beau milieu de son lit, il me regarde d'un air furieux. Je tente bien de présenter des excuses, mais il me coupe tout de suite la parole :

– Je ne veux rien entendre, gredin ! Demain à l'aube, Frapped'abord ira prévenir tes parents que je ne veux plus de toi ici. Tu as de la chance de t'en tirer à si bon compte. Si ce n'était de l'amitié que je porte à ton père, je te ferais mettre en prison. Retourne au grenier et réunis tes affaires, je veux que tu décampes.

Je ne me le fais pas dire deux fois. Je cours à ma paillasse pour empaqueter mon bagage.

J'entends Frapped'abord ricaner dans mon dos. Je lui crie que, s'il continue, le diable lui plantera sa fourche dans les fesses. Son rire se transforme en grognement, et il se jette aussitôt sur moi. Une terrible bataille s'ensuit. Elle ne prend fin que lorsque je lui brise une grosse cruche sur la tête. Étourdi, il tombe assis sur le sol et, en pleurnichant de rage, il déclare :

– Par les cornes de Belzébuth, je le jure ! Cette bosse, je te la rendrai au centuple.

4

Où l'on constate que, malgré tout, les événements tournent en faveur de Jean-Baptiste

Mon père arrive à la boutique en début d'après-midi. Il a son air des mauvais jours. Sans dire un mot, il se rend au chevet de son ami. À travers la cloison, j'entends mon ancien maître pester contre moi. Peu après, mon père vient me chercher. Je m'attends à ce qu'il soit superbement en colère. Très sèchement, il me dit :

– Ramasse tes affaires, nous partons !

Une fois monté dans la carriole, tout en m'échauffant les oreilles, il continue :

– Tu me fais honte ! Tu n'es qu'une mauvaise graine, un fichu coquin.

En soupirant, il ajoute :

– Que vais-je bien pouvoir faire de toi, maintenant ? Peux-tu me le dire ?

Moi, je sais très bien ce qu'il peut faire de moi. Je lui réponds :

– Je serai coureur des bois, comme Grand-Baptiste.

– Il n'en est pas question ! Et puis, tu es beaucoup trop jeune.

– Je t'en supplie ! Allons au moins demander à *M. Pothier*. En ce moment, il engage ceux qui partiront à son compte pour les Pays-d'en-Haut.

Pendant un long moment, mon père bougonne puis, brusquement, il s'empare des rênes en maugréant :

– Très bien ! C'est toi qui l'auras voulu.

Vingt minutes plus tard, nous nous retrouvons, rue Saint-Paul, devant le magasin de *M. Pothier*. Grand-Baptiste est à l'intérieur, en train de discuter avec le marchand. Il semble très étonné de nous voir. Nous descendons de la carriole et mon père entre dans la boutique pour aller parler aux deux hommes. Je n'entends pas ce qu'ils se disent, mais je vois *M. Pothier* partir d'un grand rire en me regardant. Je me doutais bien qu'il serait réticent à l'idée de m'engager, mais je ne pensais pas que mon rêve puisse l'amuser à ce point.

Des gouttes de sueur sur le front, je les regarde sortir du magasin tout en me préparant à tenter de convaincre le marchand.

M. Pothier est un petit homme avec une minuscule tête de souris recouverte d'une grosse perruque poudrée. Il tend son nez pointu vers moi comme s'il flairait une bonne affaire. Très sérieusement, il déclare :

– Ainsi, c'est toi qui a administré une bien drôle de médecine à *M. Douillard.*

Ces sarcasmes sont plus que je ne peux en supporter. D'un seul coup, je me fâche.

– C'est vrai ! Je suis coupable, mais s'il n'avait pas été si niais, il aurait laissé monter Frappe-d'abord et, à présent, il pourrait encore s'asseoir.

À ces mots, tous éclatent de rire. Même mon père, malgré les soucis que je lui cause. Puis le marchand me dit :

– Ne t'inquiète pas, il a toujours eu les fesses mieux remplies que la tête. C'est aussi un

tricheur qui m'a fait perdre une petite fortune au jeu. Ton joyeux tour me remplit d'aise!

Perdant son sourire, il enchaîne:

– Mais passons aux choses sérieuses. Tu veux que je t'engage comme coureur de bois. Soit! Mais visiblement tu es trop jeune. Je ne vois pas en quoi tu pourrais m'être utile.

Sachant très bien que je joue mon avenir, je me mets à parler tout d'une traite.

– Je suis jeune mais je sais préparer le feu, cuisiner les repas et laver les marmites. Et je suis bon cordonnier. Je peux réparer les mocassins ou en fabriquer d'autres. Et si l'un de vos canots prenait l'eau, je l'écoperais avec une éponge afin de préserver vos marchandises. Regardez! Je ne suis pas grand, je ne prendrai pas plus de place dans un canot que la moitié d'un ballot.

– Ma foi... Ce que tu dis me paraît plein de bon sens, déclare le marchand en riant de nouveau.

Grand-Baptiste, qui n'a pas encore dit un mot, se tourne vers *M. Pothier* en ajoutant:

– Si vous l'engagez, je réponds auprès de vous et de son père de sa sécurité et de ses bons services.

En entendant cela, je m'efforce de ne pas sauter comme une puce tellement je suis énervé.

Au bout d'un moment, le marchand me fixe

du coin de l'œil, se passe la main sur la bouche et reprend :

– Très bien ! Si le père de ce garçon est d'accord, je suis prêt à le prendre à mon service. Il partira pour Michillimakinac dans une semaine.

Le cœur battant, je me tourne vers mon père de qui doit venir la décision. Après un long silence, il lève les yeux vers Grand-Baptiste, les tourne ensuite vers *M. Pothier* et finalement vers moi.

– Jean-Baptiste, dit-il en se grattant la tête, moi-même, quand j'étais plus jeune, j'ai pensé partir avec Grand-Baptiste... Mais je devais m'occuper des choux de ton grand-père... Et puis, il y avait beaucoup de beaux gars qui tournaient autour de ta mère... Hum !... C'est d'accord, pars donc !, ça te mettra du plomb dans la cervelle. Je suis sûr que, à ton retour, tu seras le premier à vouloir reprendre la fourche et le rateau.

À ces mots, je bondis de joie. Pour une des rares fois de ma vie, j'embrasse mon père qui continue de bougonner par principe. Il retient même une larme lorsque je lui dis que c'est le plus beau cadeau qu'il pouvait me faire.

M. Pothier semble apprécier la scène. Je suis encore dans les bras de mon père lorsqu'il dit :

– Nous ne pouvons pas avoir deux Jean-Baptiste dans la même brigade. Pour te différencier de Grand-Baptiste, il faut te trouver un surnom. Comme tu as admis toi-même que tu n'étais pas grand, je suggère que, dorénavant, nous t'appelions Petit-Baptiste.

Je suis tellement heureux que même ce surnom qui n'est pas trop à mon goût ne peut altérer ma joie.

Mais tous ces sentiments m'aveuglent et m'empêchent d'apercevoir la méchante figure de Frapped'abord qui, caché dans un tonneau, vient d'observer toute la scène.

5

Où nous assistons à une grande fête qui précède un long voyage

Durant les jours qui suivent, tout va très vite. Grand-Baptiste m'héberge, et, très fier, j'arpente les rues de Montréal vêtu de mon nouveau costume de coureur des bois. Les jolies dames tournent la tête en souriant lorsqu'elles me voient avec mes mocassins, mon capot bleu et ma tuque rouge.

M. Pothier et Grand-Baptiste courent partout. Il leur faut préparer les ballots de marchandises que nous allons emporter dans les Pays-d'en-Haut. On y trouve des couvertures, des chaudrons, des perles de verre, des hameçons, des miroirs, du tabac, du rhum et bien d'autres choses encore.

M. Pothier grogne comme un ours, car il faut réparer les quatre canots de maître qui sont en mauvais état. Ce sont des canots de plus de trente pieds qui peuvent contenir six hommes et beaucoup de marchandises. Il en attend un tout neuf de Trois-Rivières qui n'arrive pas, et nous en avons grand besoin. Cela m'étonne un peu. Je demande au marchand :

– Mais pourquoi ne pas l'avoir fait fabriquer à Montréal ? Nous l'aurions déjà sous la main.

– Tu as beaucoup de choses à apprendre, Petit-Baptiste. Les meilleurs canots de maître de tout le pays sont fabriqués par les femmes de Trois-Rivières. Grand-Baptiste n'en veut point d'autre et je l'approuve.

Finalement, le 1er mai arrive. Les cinq canots, fins prêts et lourdement chargés, nous attendent à Lachine. Grand-Baptiste a eu l'assurance par les Indiens que la rivière des Outaouais est désormais libre de glace. À cette nouvelle notre impatience est grande. Voilà tant d'années que je rêve de ce départ. Nul ne pouvait me faire de plus beau cadeau.

– Il y a six hommes par canot, m'explique Grand-Baptiste. Dans le nôtre, sans te compter, il n'y en a que cinq. Un sixième homme viendra nous rejoindre à Sainte-Anne. Il ne sera pas de trop. Cette année, Sansfaçon semble bien décidé à me battre.

– Sansfaçon ?

– Souviens-toi, c'est mon concurrent le

plus coriace. Tu l'as vu à l'auberge du *Gros Raisin*, il y a un an.

C'est vrai, je me rappelle le regard sournois qu'il nous avait lancé. Mais, un an, c'est très loin. L'excitation du moment me le fait vite oublier.

Ma famille et *M. Pothier* viennent nous faire leurs adieux. Ma mère me donne une médaille de la bonne sainte Anne que je compte bien porter toute ma vie. Inquiet, mon père ne cesse de me donner conseil sur conseil. Mes frères et sœurs, eux, me regardent avec admiration. Ils veulent tous m'embrasser plutôt deux fois qu'une. Je ne peux m'empêcher d'être un peu triste à l'idée de les quitter.

Enfin, c'est le moment de partir. En tant que chef et guide de l'expédition, Grand-Baptiste est posté à l'avant du canot de tête. C'est lui qui devra décider de la façon de remonter les rivières et d'effectuer les portages. Sous les regards de tous, il crie :

– En route pour Michillimakinac !

Les coureurs des bois répondent en criant trois fois « Hourra ! ». J'ai à peine le temps de sauter dans mon canot que les avirons fendent l'eau et que mes nouveaux compagnons entonnent une des chansons dont seuls ils ont le secret :

Parmi les coureurs des bois il y a
[de bons enfants
Qui ne mangent guère mais qui
[boivent souvent
Et la pipe à la bouche et le verre
[à la main
Ils disent : Camarades, versez-moi
[du vin !

Très vite nous arrivons à la première étape, Sainte-Anne-du-Bout-de-l'Île. Là se trouve la chapelle devant laquelle tous les équipages se donnent rendez-vous avant le vrai départ. Les brigades de canots équipés par les concurrents de *M. Pothier* sont déjà sur place. On ne voit que des voyageurs qui rient ou content des vantardises. Tous ont vu au moins un animal fabuleux ou ont assisté à un événement incroyable. Le proverbe a bien raison de dire : « Un coureur des bois ne voit jamais de petits loups. » En effet, nul d'entre eux n'oserait admettre qu'il n'a croisé que des animaux de taille ordinaire.

Nous sommes en train de nous installer lorsque je vois Sansfaçon se diriger vers Grand-Baptiste en souriant. Il lui manque beaucoup de dents et celles qui lui restent sont grises ou noires. Il salue mon ami qui n'a pas l'air très heureux de le voir.

– Tu es allé chercher tes compagnons au berceau cette année ?, dit-il en me voyant.

– Et toi, Sansfaçon, tu travailles toujours pour ce grille-boudin de *Nolan Lamarque* ?

– Il paie les fourrures mieux que quiconque, et tu le sais très bien.

– Peut-être, mais s'il t'a engagé comme chef de brigade, c'est qu'il n'a pas voulu mettre le prix pour trouver mieux.

– Tu es plus fier qu'un coq, Grand-Baptiste, mais tu n'arriveras jamais à rien.

– J'arriverai toujours bien avant toi à Michillimakinac, comme l'an passé et toutes les autres années.

– Ça reste à voir.

– C'est tout vu ! Je suis prêt à gager un baril de rhum que tu embrasseras le cul de mon canot avant d'y accoster.

– Hé ! Hé ! Hé ! Surveille bien tes arrières et prépare ton rhum. Je serai sur le quai de Michillimakinac pour t'accueillir.

Là-dessus, Sansfaçon se retire et je dis :

– Il faudra se méfier de lui.

– Bah ! Sous ses grands airs, ce n'est qu'un vantard plein de vent, et ce n'est pas ce vent-là qui le mènera à Michillimakinac avant moi.

Je n'insiste pas, mais je me promets bien d'ouvrir l'œil.

Au milieu de la foule, il y a soudain du brouhaha. Monsieur le curé vient d'apparaître. C'est un petit homme maigre dont le visage est encadré par les plus grandes oreilles que j'aie jamais vues. Chaque fois qu'il entend un juron, il lève les yeux et les mains au ciel en déclarant :

– Seigneur, bouchez-vous les oreilles et pardonnez-leur. Ces hommes sont pires que des gibiers de potence, mais le fond de leur cœur est bon.

Monsieur le curé rassemble tout son monde, puis il monte sur un rocher, met les mains sur les hanches et nous regarde en fronçant les sourcils. Je suis très impressionné car, malgré sa petite taille, il ne semble avoir aucune crainte des coureurs des bois. Tous enlèvent leur tuque pour l'écouter. Alors, il commence son sermon.

– Je ne mâcherai pas mes mots, car je sais que vous n'entendez la bonne parole que si je vous la livre dans votre langage qui n'est pas de première sainteté. Mais la bonne sainte Anne, mère de Marie, a accompli d'innombrables miracles. Qui sait si elle ne peut pas transformer les putois que vous êtes en bons chrétiens.

À ces mots, certains éclatent de rire, mais le curé les arrête d'un geste et poursuit.

– Nombre d'entre vous ont été sauvés de grands périls grâce à la puissante protection de sainte Anne. Gardez votre cœur pur et elle saura vous guider. Par ma bénédiction, je lui demande de vous protéger tout au long de votre périlleux voyage.

Ensuite, il nous bénit en latin. Avant de

partir, il passe la quête pour les pauvres de sa paroisse. Les coureurs des bois sont généreux. Sautant dans sa carriole, monsieur le curé semble très satisfait de sa récolte. Avant de nous quitter, il dit en souriant :

– Attendez que je sois parti pour commencer vos ribauderies.

Dès qu'il est hors de vue, on voit sortir les tonnelets de rhum. C'est maintenant que la fête commence !

Plus la journée avance, plus ça fume, boit, rit, chante et parle fort. Au coucher du soleil, Michel Lemieux, dit Prêt-à-boire, prend son violon et deux hommes, une plume de coq plantée sur le haut de leur tuque, commencent à chanter la chanson des voyageurs. Au son de la musique, tous se mettent à danser comme de beaux diables.

Pendant que les ombres de mes compagnons pirouettent autour du feu, j'aperçois la silhouette d'un homme qui s'avance vers moi. La lueur des flammes m'empêche de bien le distinguer jusqu'au moment où il vient s'asseoir à mes côtés. Je le dévisage et la mâchoire m'en tombe presque à terre. C'est un Indien aux longs cheveux noirs, qui porte à la ceinture une arme que je n'ai jamais vue, un gros casse-tête. Mais le plus surprenant, c'est son visage.

Du front jusqu'au menton, un tatouage représentant un cerf lui fait comme un masque grimaçant. Il me regarde sans aucune expression. Je reste figé de surprise jusqu'à ce que j'entende la voix de Grand-Baptiste dans mon dos :

– Petit-Baptiste, je te présente François.

6

Où l'on apprend que pour aller dans les Pays-d'en-Haut il faut savoir se lever tôt

« Lève ! Lève ! Lève ! »

Je me réveille en sursaut. Autour de moi tout est baigné de brume. Je distingue à peine Grand-Baptiste qui va de l'un à l'autre en criant son « Lève ! Lève ! Lève ! ». Quand il n'obtient pas de réaction, il n'hésite pas à donner un bon coup de pied dans les côtes ou dans les fesses du dormeur. Il semble irrité. En se retournant vers moi, il crie :

– Allez ! Grouille-toi ! Je n'ai pas l'intention de moisir ici ! Je veux que ce soir nous soyons rendus à la tête du lac des Deux Montagnes.

De toute ma vie, je ne me suis jamais levé aussi tôt. Encore à moitié endormi, je me dirige vers le canot de Grand-Baptiste. Avec nous se trouve François que j'ai rencontré hier soir. C'est un Indien Abénaquis qui fait le voyage chaque année à partir de Sainte-Anne pour nous servir de guide. Son nom indien est

Atikwando. Cela signifie l'« esprit et le pouvoir du cerf ». Il ne parle presque pas, mais tous le respectent et semblent même le craindre un peu. Grand-Baptiste, lui, le traite comme un frère. Il m'a même dit qu'il lui accordait toute sa confiance.

Autour, on entend les autres brigades de canots s'activer, mais nous sommes les premiers à quitter Sainte-Anne. Malgré cela, Grand-Baptiste est furieux.

– Vous n'êtes qu'une bande de tortues. Ma brigade est toujours arrivée la première à Michillimakinac, et j'ai bien l'intention qu'il en soit toujours ainsi. Mon honneur et un baril de rhum sont en jeu. S'il y en a qui continuent à traîner la patte comme ce matin, ils auront affaire à moi.

Ayant toujours connu Grand-Baptiste doux et jovial, je découvre tout à coup qu'il peut aussi être un chef très autoritaire. Toutefois, sa colère ne dure pas. Dès que les hommes sentent que l'orage est passé, la première chanson de la journée retentit au rythme des avirons.

La force et la résistance des coureurs des bois sont extraordinaires. Notre canot file sur l'eau aussi vite qu'un cheval au galop. Les observant, je compte leurs coups d'aviron et je m'aperçois qu'ils en donnent un par seconde. Chaque heure, ils s'arrêtent, le temps de fumer une pipe. C'est leur moyen de compter les heures. Souvent je les entendrai dire :

– Il ne reste que deux pipes avant les rapides.

Ou encore :

– Nous sommes partis depuis quatre pipes.

Le paysage que nous traversons est d'une rare beauté. Nous sommes sur le lac des Deux Montagnes et, malgré le printemps, quelques blocs de glace égarés viennent encore cogner l'écorce du canot. Le brouillard de l'aube se lève sur un beau ciel clair. Très vite, les dernières fermes font place à la forêt et, au loin, des montagnes laissent deviner à leurs pieds la mission iroquoise de Canasadaga. Sur la rive, je peux compter deux biches, un chevreuil et un raton laveur. Un brochet me surprend en sautant près du canot.

Au bout de deux pipes, je commence à me sentir inutile. Bien sûr, c'est agréable de regarder le paysage, mais j'aimerais mieux prendre un aviron. Je propose mon aide, mais les hommes éclatent tous de rire. Prêt-à-boire me lance :

– Holà ! petit gars ! Attends de monter en graine avant de vouloir te mesurer à nous. Tu ne pourrais tenir notre rythme plus d'un quart de pipe. Tu nous embarrasserais plus qu'autre chose. Fais plutôt le guet, on dit qu'un monstre dort sous les eaux du lac.

Il fait un clin d'œil à son voisin. S'il pense que je vais le croire ! Je jette quand même un coup d'œil vers l'eau, au cas où. Prêt-à-boire

me voit faire et rit de plus belle. Je me sens humilié. J'ai l'impression d'être une souris au milieu d'une famille d'ours. Je me jure que, un jour, je trouverai le moyen de les épater. Ils verront bien, pétard de sort ! de quel bois peut se chauffer un Petit-Baptiste.

Observant le soleil, Grand-Baptiste juge qu'il est huit pipes. Il se met à scruter la berge. Une plage de sable paraît le satisfaire. Il crie tout en indiquant l'endroit de son aviron :

– Nous nous arrêtons ici pour faire la chaudière !

L'accostage se passe sans heurt. Une fois au sec, Grand-Baptiste se tourne vers moi :

– À toi de jouer, maintenant ! Prouve-nous que tu sais préparer un repas plus rapidement que l'éclair.

Il n'a pas à me le répéter. Déjà je bondis hors du canot, une petite hache à la main. Rapidement j'installe mes feux, et l'eau de mes cinq marmites commence à bouillir. J'y jette des pois et du lard salé coupé en tranches. Pour épaissir le tout, j'ajoute de la farine de maïs. Quand mon plat est prêt, je distribue des galettes, et chaque équipage de canot entoure une marmite. Chacun y va de sa cuillère. On a tous une faim de loup, mais la quantité est maigre. Seuls les plus rapides parviennent à se relever le ventre plein.

Après le repas, les hommes sortent de nouveau leur pipe. J'en profite pour rincer mes chaudières pendant que Grand-Baptiste observe le lac. Tout à coup, il se lève d'un bond et s'écrie :

– En route ! J'aperçois la brigade de Sansfaçon qui s'amène. Que le diable ait mon âme si je me laisse dépasser par ces limaces !

En un clin d'œil, tout est ramassé et nous sommes repartis. Grand-Baptiste surveille ses hommes avec l'œil d'un aigle à l'affût. Le moindre relâchement dans la cadence de l'un d'eux le fait aussitôt crier :

– Va chercher l'eau plus loin !

Ce simple avertissement suffit à ramener le coupable à l'ordre.

La traversée du lac a été plus longue que prévu. Sous l'effet du vent, de courtes vagues se sont levées, freinant notre allure. Ce n'est que lorsque le soleil commence à décliner que nous abordons le rivage en un endroit où la forêt est très dense. Au loin mugit un grondement sourd. Je demande quel est ce bruit. Prêt-à-boire me répond :

– Tu es trop curieux ! Attends demain et tu verras. Surtout, ne t'avise pas d'aller voir par toi-même, tu pourrais rencontrer un windigo et ce serait ta fin.

Sa bouche se ferme sur ces paroles mystérieuses. Je n'ai pas le temps de le questionner sur ce qu'est un windigo, car il faut dresser notre campement pour la nuit. Les lits ne sont faits que de deux couvertures étalées sur la berge avec les canots retournés et des toiles cirées sommairement tendues en guise de toit. Grand-Baptiste semble satisfait ; tel qu'il l'a souhaité, nous avons atteint la tête du lac des Deux Montagnes avant nos concurrents.

Malgré la fatigue, les hommes ont conservé leur gaieté coutumière. Seul François reste un peu à l'écart. Discrètement, je m'approche de lui pour mieux regarder son tatouage. Il doit avoir des yeux à la place des oreilles car, sans même lever la tête, il me dit :

– Le petit homme blanc est curieux comme la fouine, mais pas aussi sournois que la belette.

Surpris, je ne sais que dire. Je tente un sourire mais François continue :

– S'il tient tant à observer le cerf, mon totem, pourquoi ne vient-il pas s'asseoir en face de lui ?

Je comprends qu'il s'agit d'une invitation. Je vais m'accroupir devant l'Indien qui relève la tête afin que je puisse mieux voir. Les bois du cerf couvrent le front et son museau s'étend sur la moitié du visage. Je remarque que François arbore également des tatouages sur ses bras, et un cercle traversé de flèches attire mon attention. Je lui en demande la signification.

– C'est un sorcier de la nation Tête-de-Boule qui me l'a fait. Cela me protège des *windigos.*

– Encore ces *windigos* ! Qu'est-ce que c'est ? Une autre tribu ?

– Je ne te souhaite pas d'en rencontrer un, petit homme blanc. Les *windigos* sont des esprits, mi-hommes mi-démons. Lorsque l'on croise leur chemin, ils poussent un cri qui paralyse, ce qui leur permet de manger notre âme. Quelquefois, ils prennent l'apparence d'animaux pour nous dérouter. Si tu en rencontres un, sauve-toi vite ! N'essaie pas de te battre, car même si tu lui tranchais le cou, les morceaux se recolleraient aussitôt.

Le discours de François me donne la chair de poule, mais il est soudain interrompu par un cri qui m'est destiné.

– Holà ! N'avions-nous pas engagé un cuisinier ?

7

Où notre jeune coureur des bois rencontre un drôle de windigo

Il fait nuit noire et les étoiles constellent le ciel lorsqu'un bruit me réveille. Autour de moi, tout le monde dort. Tendant l'oreille par-dessus les ronflements de Ladéroute, tout ce que j'arrive à entendre est ce grondement sourd qui ne semble jamais vouloir s'arrêter. Le cœur battant et les yeux grands ouverts, je scrute les ombres de la nuit. J'espère trouver ce qui a bien pu s'agiter, mais je ne vois rien. Soudain, je réentends le bruit ; c'est comme si on arrachait l'écorce d'un arbre. Ça vient de ma droite. Tout en sueur, je tourne la tête et j'aperçois une silhouette qui s'engouffre dans la forêt. Je retiens un cri. Qu'est-ce que c'était ? Un raton laveur ? Un Indien ? Il faut que je donne l'alarme. D'un coup de pied, j'essaie de réveiller Ladéroute, mais tout ce que j'obtiens, c'est qu'il se tourne sur le côté en poussant un grognement.

Pétard de sort ! Que faire ? Si je perds du

temps à essayer de prévenir les autres, l'intrus aura eu le temps de disparaître dans la forêt. Ma décision est prise, je vais affronter l'ennemi. Les jambes chancelantes, je m'approche de la lisière du bois en m'emparant, au passage, d'un tison qui rougeoie encore parmi les cendres. Je le pointe vers l'avant en faisant des mouvements de gauche à droite, espérant y voir quelque chose. Peine perdue, je n'aperçois que les ombres menaçantes des arbres gigantesques. Soudain, des craquements se font entendre dans le sous-bois. Mes yeux sont tellement ouverts qu'on dirait qu'ils ne voudront plus jamais se refermer. Je fais quelques pas en avant en pensant que je pourrais me perdre ou rencontrer un *windigo.* Mais je me dis que si j'ai peur d'un *windigo,* je ne ferai jamais un bon coureur des bois.

À chaque pas, je casse des branches mortes et j'écrase des feuilles. J'ai l'impression de faire autant de bruit qu'un troupeau de vaches dans une cuisine. Un ricanement étouffé venant de je ne sais où me fige sur place et, en claquant des dents, je murmure :

– Ladéroute ? Est-ce toi ?

Le même rire me répond. Je me retourne brusquement. Il n'y a personne derrière moi. Le rire continue, comme si une créature des ténèbres se moquait de moi. Maintenant je suis sûr qu'il s'agit d'un *windigo.* Je suis perdu !

Je me ressaisis à temps. Si je dois mourir, je veux faire honneur à Grand-Baptiste et à mes compagnons. Je me défendrai jusqu'à la dernière goutte de mon sang. Je brandis mon tison et je crie :

– *Windigo* de malheur, je n'ai pas peur de toi ! Par la bonne sainte Anne, je te jure que tu vas perdre une dent ou deux avant de me croquer.

Le rire s'étouffe. Je me tourne dans toutes les directions, prêt à me défendre. Soudain, quelque chose me saute sur le dos et me cloue au sol. Mon tison s'envole au loin. Je sens un souffle rauque dont la mauvaise haleine me monte au nez.

Réunissant toutes mes forces, je réussis à glisser ma main vers l'arrière. J'attrape la jambe du démon et je la mords de toutes mes forces. Cela doit lui faire mal, car il lance un drôle de cri : « Ayayouille ! » Profitant de cela, je cambre le dos et, d'une poussée, je fais bouler le monstre dans les branches. Je saute sur mes pieds et tente de l'apercevoir, mais la nuit le cache aussi bien qu'un rat dans une cave. Pour me rassurer et pour qu'il sache que je suis sur mes gardes, je lui crie :

– Où es-tu, bougre d'écumeux de marmite ? Montre-toi que je te botte le cul.

Personne ne répond, mais je sens que ce mangeur d'âmes est encore dans les parages, alors je continue :

– Si tu penses m'avoir par surprise, fais ta prière, tu vas avaler tes cornes.

Tout à coup, j'entends de nouveau un bruit

derrière moi. Je me retourne, je fonce sans regarder et viens me cogner la tête contre Grand-Baptiste.

– Que fais-tu là ? Tu devrais dormir. Je ne veux pas qu'un de mes hommes ronfle pendant la journée.

– Mais Grand…

– Si j'ai à te chercher une nouvelle fois au beau milieu de la nuit, tes fesses ne perdront rien pour attendre.

Je voudrais lui expliquer ce qui s'est passé, mais il me force à me recoucher.

J'ai fait fuir un *windigo* mais, comme je suis le seul à l'avoir entendu, personne ne voudra me croire. C'est désespérant, mais je n'ai pas le loisir d'y penser plus longtemps car, complètement épuisé, je me rendors.

8

Où la réalité se révèle plus difficile à vivre que le rêve

– Un *windigo* ! Rien que ça, me dit Ladéroute en riant, lui as-tu tranché sa queue fourchue, au moins ?

Et tous s'esclaffent devant ma mine dépitée.

– Je le jure, c'était un *windigo*. Il m'a sauté sur le dos et j'ai bien senti son haleine de soufre.

– Il n'est pas plus haut que trois pommes et il ment déjà mieux que le plus âgé d'entre nous, se moque Laboucane.

Les hommes rient de plus belle, mais cessent subitement lorsqu'ils entendent les jurons de Prêt-à-boire qui se tient près de la berge.

– Venez voir, un des canots a été méchamment percé.

– Je vous l'avais dit, crié-je, le déchirement que j'ai entendu, c'était le *windigo* qui trouait le canot.

Bientôt, c'est la confusion autour de l'embarcation.

– Le trou est bien trop net, ce n'est pas un animal qui a pu faire ça, affirme un certain Saint-Aubin.

Éberlués, beaucoup de mes compagnons murmurent que c'est l'œuvre du diable. Grand-Baptiste fait taire tout le monde. Il ordonne à Lavictoire de réparer le canot. C'est un spécialiste en la matière. Il fait d'abord chauffer de la résine de sapin dans une petite casserole pour ensuite boucher le trou grâce au *watap*, de l'écorce de bouleau que nous gardons en réserve.

Pendant qu'il s'active, Grand-Baptiste me tire à l'écart pour me demander ce qui s'est passé la veille. Je le lui explique du mieux que je peux. Cela le rend soucieux.

– Cette histoire de *windigo* énerve les hommes. Si jamais il se manifeste de nouveau, tu n'en parleras qu'à moi.

À peine a-t-il dit cela que retentissent des hurlements venant du lac. Un des hommes accourt pour annoncer une mauvaise nouvelle :

– La brigade de Sansfaçon est en train de nous devancer.

– Corbleu ! Avec ce canot troué, ils vont prendre une sacrée avance.

C'est vrai ! Impuissants, nous regardons Sansfaçon et ses hommes nous dépasser. Personne ne pipe mot et, bientôt, ils ont disparu.

Mes compagnons s'observent en silence, à l'écoute des ordres de Grand-Baptiste. Celui-ci décide de ne pas attendre que la résine du canot ait durci. Avec vigueur, il distribue les tâches sous les hourras des hommes.

Autour de moi, tout le monde se presse. Les canots ne sont chargés qu'à moitié et on attache des colliers de portage aux paquets restés sur la berge.

Je ne comprends pas trop ce qui se passe et cela me fait superbement horreur.

J'attrape Prêt-à-boire par le bout de sa chemise pour avoir des explications. Il me répond :

– Ce grondement que l'on entend depuis

hier, ce sont les rapides du Long-Sault. On ne peut les franchir pleinement chargés, car les canots heurteraient les rochers au fond de l'eau. Il faut les alléger. Tu vois, de la rive, quelques hommes vont tirer les canots avec une corde. D'autres les aideront en restant à leur bord et en les poussant à l'aide de perches pour éviter les rochers. Quant au reste des bagages, il faudra les porter sur nos épaules. Crois-moi, cela ne va pas être facile. C'est un portage de mille cent vingt pas et, s'il faut tenter de rattraper la brigade de Sansfaçon, ça va être tout un contrat! D'autant plus que d'ici à Michillimakinac, il y a encore trente-six portages.

Je ne veux pas rester les bras croisés. Je m'approche de deux des hommes qui finissent d'attacher un collier de portage à un gros ballot et je demande à le porter. En ricanant l'un d'eux me dit :

– Essaie toujours, mon gars!…

Ils soulèvent le sac et fixent le collier à mon front. Il s'agit en fait d'une grosse courroie de cuir qui permet de tenir le ballot sur le dos. Dès qu'ils le lâchent, j'ai l'impression de m'enfoncer dans le sol. Après trois secondes, mes jambes plient sans que je puisse rien y faire. L'instant d'après, je me trouve face contre terre, le gros sac m'écrasant de tout son poids. Il doit

bien peser quatre-vingt-dix livres. Les hommes rient et l'un d'eux lance :

– Il est plus efficace quand il s'agit de la soupe.

On rit de plus belle. Mon orgueil en prend un coup. Je me sens ridicule mais j'ai compris la leçon. Je me contente de porter ce qui est nécessaire à la préparation du repas.

En trottinant, je me dirige vers les hauteurs, à l'autre bout du portage. Le chemin est difficile, parsemé de gros rochers pointus. Plus bas, au travers des branches, j'aperçois les canots que l'on hale. Ceux qui sont restés dans les embarcations se tiennent debout et tentent d'éviter, avec leurs perches, les écueils autour desquels l'eau bouillonne et tourbillonne. De grosses branches d'arbres renversés dans la rivière sont comme autant de bras qui cherchent à les happer. Sous les ordres brefs et nerveux de Grand-Baptiste, les hommes font de leur mieux. Au bout de quelques heures, les rapides sont enfin franchis, mais nos concurrents ont pris trop d'avance. Ils ont déjà filé sur la rivière.

Les hommes se gardent bien de montrer qu'ils sont exténués, car les coureurs des bois sont mille fois plus orgueilleux que moi. Grand-Baptiste décide toutefois de faire halte sur place pour les laisser se reposer.

Je m'affaire aussitôt à préparer le repas. Les vêtements de la plupart des compagnons sont complètement détrempés. Ils profitent de mes feux pour les faire sécher. Prêt-à-boire m'apporte un de ses mocassins. Les coutures se sont défaites et je le raccommode grâce à mes outils de cordonnier.

Grand-Baptiste, songeur, vient s'asseoir auprès de moi et me dit :

– Petit-Baptiste, j'aimerais que tu gardes l'œil bien ouvert. Si jamais tu vois quelque chose d'anormal, tu me le rapportes aussitôt. Tiens ! pour t'aider, prends ceci.

Et il me donne une superbe lorgnette qui permet de voir à plus de cent pas. Puis il ajoute :

– Tu t'acquittes très bien de tes tâches. Les hommes t'ont à la bonne. Continue comme cela et je te garantis que tu auras un très beau baptême.

– Un baptême ?

Sans répondre à mon interrogation, il s'éloigne pour aller discuter avec François. Pendant que je nettoie mes marmites, je les observe. Grand-Baptiste gesticule, il a l'air soucieux. François est plus calme et ne dit presque rien. Le temps de ranger mes chaudrons, ils ont disparu. Au bout de vingt minutes, la nervosité me gagne. Si nous ne levons pas le camp bientôt, jamais nous ne rattraperons Sansfaçon. Enfin, les deux hommes réapparaissent au détour d'un gros sapin. Je m'apprête déjà à ramasser mes marmites pour le départ mais, comme si de rien n'était, Grand-Baptiste s'assied près de Ladéroute. N'y comprenant rien et bouillonnant d'impatience, je le vois s'allumer tranquillement une pipe en souriant.

9

Où Petit-Baptiste reçoit un second baptême fort différent du premier

Un raccourci ! Voilà ce que François montrait à Grand-Baptiste. Un sentier connu seulement des Indiens. Nous faisons un dur portage, mais le résultat dépasse nos espérances. Au milieu du jour, nous distinguons, tout en bas d'une colline, la brigade de Sansfaçon en train de faire la chaudière. Le soir même, le raccourci de François nous a fait gagner plusieurs heures sur nos concurrents.

Mais cette victoire ne doit pas nous endormir. Grand-Baptiste reste préoccupé, car il veut absolument arriver aux grands lacs le premier, et l'écart reste mince entre nous et Sansfaçon.

Au fil des jours, les portages se succèdent. Souvent, je m'éloigne du groupe pour observer les alentours avec ma lorgnette. À deux reprises, j'aperçois au loin un animal qui semble m'observer mais, chaque fois que je cherche à l'approcher, il disparaît aussitôt. Cela ne me semble pas assez important pour que je rapporte l'incident à Grand-Baptiste. Il ne se passe plus rien et, bientôt, je dois l'avouer, mes tours de guet s'espacent de plus en plus.

Il faut dire que le travail est ardu. Après avoir dépassé la chute des Chaudières, le rapide Deschênes et la chute des Chats, il faut affronter l'horrible portage du Grand Calumet. Un méchant défi ! Plus de deux mille pas à franchir, un canot ou un ballot sur les épaules.

– C'est ici que tout va se jouer, déclare Grand-Baptiste. C'est le seul endroit où Sansfaçon peut espérer nous rattraper. Hardi les gars !

Il fait très froid et il pleut. Les charges sont lourdes et l'eau glacée, mais personne ne se plaint. Pourtant, nos premiers vrais malheurs se produisent à cet endroit.

Cette colline est la plus abrupte que j'aie jamais vue. Nous glissons constamment sur la roche friable. L'endroit est sinistre et j'apprends que, tout en haut, se trouve une série de croix marquant la tombe de tous ceux qui ont péri ici. Sous l'effet des vents, certains arbres ont poussé de travers et semblent nous dévisager comme le feraient des sorcières grimaçantes. Chaque instant, je crois entendre les gémissements plaintifs de loups affamés ou d'esprits en maraude.

Nous sommes presque arrivés au sommet lorsque Ladéroute pousse un cri et se met à débouler. Il se cogne durement contre un arbre sans pourtant parvenir à se relever. Deux hommes lâchent leurs ballots et le transportent jusqu'en haut.

On a à peine le temps de se rendre compte qu'il a la jambe cassée que Saint-Amour s'effondre lui aussi, victime d'une poussée de fièvre.

– Il faut nous arrêter, dit Grand-Baptiste. Qu'on leur construise un abri avec des branches de sapin. François ! Occupe-toi des blessés !

François leur apporte de l'écorce qu'il leur fait mâcher. Intrigué, je lui demande ce que c'est.

– De l'écorce de saule. Elle apaise la douleur et la fièvre.

Malgré cela, nous devrons abandonner les deux hommes ici avec vivres et marchandises en espérant que des chasseurs indiens les trouveront et accepteront de les ramener à Montréal.

Ce soir-là, avant que le soleil ne soit complètement couché, je reprends mon guet de façon sérieuse. Soudain, tandis que j'observe l'ombre des arbres qui s'allonge, une grosse branche atterrit presque sur moi. Je sursaute et ma première réaction est de lever les yeux pour

voir d'où elle a pu tomber. Mais un froissement de feuilles me fait tourner la tête. J'ai tout juste le temps de voir une boule de poils disparaître dans la pénombre.

Lorsque j'en parle à Grand-Baptiste, il me dit en souriant :

– Tu as sûrement rencontré un ourson qui a voulu te jouer un tour.

***

Le lendemain matin, il faut faire nos adieux à nos compagnons. Grand-Baptiste leur laisse un fusil en leur demandant de tirer s'ils voient arriver Sansfaçon. Tandis que l'on s'éloigne, l'atmosphère est à la tristesse. La première chanson de la journée retentit de ses accents mélancoliques :

Embarque-toi dans mon canot
Prends ton paquet
Car tu vas laisser ton pays
Tes parents, tes amis
Pour monter dans les rivières
Toujours attelé à l'aviron !

Le soir, nous n'avons entendu aucun coup de fusil et Grand-Baptiste semble un peu apaisé.

Il est sûr maintenant que Sansfaçon est trop loin pour représenter une quelconque menace.

Douze jours après notre départ, nous atteignons la rivière Creuse. Les coureurs des bois l'aiment bien, car il n'y a pas de portage à faire. Ça file rondement et, vers la fin de la journée, Grand-Baptiste ordonne de dresser notre camp sur une belle pointe de sable bordée de pins. Nous ne sommes pas la première brigade à aborder en ce lieu. On voit partout les traces d'anciens campements.

Pendant que je prépare le repas, je remarque que tout le monde me regarde de biais en souriant. Ils ont l'air de mijoter quelque chose, mais j'ai trop à faire pour m'en occuper. Tout à coup, Grand-Baptiste prend la parole :

– Y a-t-il parmi vous quelqu'un qui vient pour la première fois en ce lieu ?

À ces mots, j'hésite un instant, attendant qu'un autre que moi lève sa main. Mais je suis le seul à n'être jamais venu ici. Timidement, je lève le bras et je vois tout le monde marmonner et certains rire en sourdine. Grand-Baptiste s'approche de moi et enchaîne :

– Petit-Baptiste ! Dis-moi, serais-tu prêt à offrir un verre de rhum à tous les vieux voyageurs que tu croiseras sur ta route ?

– Oui, bien sûr !

– Pourrais-tu le jurer ?

– Euh ! Oui.

– Eh bien, nous sommes vingt-huit ici qui attendons ta tournée.

– Hein ? Mais je n'ai pas de rhum.

– Nous, nous en avons ! As-tu quelques pistoles pour nous l'offrir ?

– Tu sais bien que je n'ai pas un sou vaillant.

Faisant la moue, Grand-Baptiste se tourne vers les hommes et déclare :

– Vous avez entendu ! Il ne veut pas nous payer un verre de rhum. Que faut-il faire ?

Comme s'ils n'attendaient que ces mots, mes compagnons lancent un grand cri qui résonne dans toute la forêt :

– Qu'on le baptise !

Tous se jettent sur moi. Certains ont des chiffons pleins de suie et, le temps de le dire, je me retrouve avec les mains et le visage noirs comme le poêle. Avant que je n'aie pu reprendre mes esprits, on me saisit par les mains et les pieds et on me balance à l'eau. J'en ressors tout trempé mais, comme les autres, je ris de bon cœur. Grand-Baptiste me demande de faire face à l'eau, puis je dois répéter :

– Je suis un homme du nord !

Après, il me dit :

– Maintenant, tu es un vrai coureur des bois.

Tous crient hourra et viennent me taper sur l'épaule pour me féliciter.

Les jours qui suivent sont bien remplis. En amont de la rivière Creuse, il faut franchir le portage des Deux Joachims. Puis vient une série d'autres portages vraiment dangereux, car les courants y sont très impétueux. J'en apprends soigneusement les noms et les difficultés : portage de la Roche-Capitaine, des Deux Rivières, du Trou… Les hommes triment dur.

Quand ils sont vraiment exténués, ils soupirent leur expression habituelle : « Ha ! Quelle misère, mon bourgeois ! »

Enfin, nous arrivons à la rivière Mattawa.

Sur la berge, on trouve des tombes indiennes et une grande caverne. J'essaie de ne pas penser à tous les esprits qui doivent hanter ces rives mais, cette nuit-là, je fais d'horribles cauchemars. Dans un de mes rêves, une bête malfaisante qui nous a suivis tout le long de notre route profite de notre manque de méfiance pour se transformer en *windigo* et nous dévore tous.

10

Où Petit-Baptiste découvre le but de son voyage à l'issue d'une méchante course

Je me réveille en nage. Plusieurs des hommes s'affairent déjà aux préparatifs de départ. Je me dépêche de faire les feux et de mettre l'eau à bouillir. En allant chercher la nourriture, je constate avec horreur que quelqu'un est venu fouiller dans les sacs et a volé toute notre provision de lard. Je me tourne de tous les côtés, espérant m'être trompé et avoir simplement déposé le sac un peu plus loin. Un compagnon du nom de Sansoucy s'aperçoit de mon désarroi. Il vient aux nouvelles. Mal à l'aise, je lui annonce qu'il y a eu vol. Il fronce les sourcils.

– J'espère que tu dis la vérité et que tu n'es pas un de ces mangeux de lard qui, par gourmandise, vole la nourriture des autres.

Je me défends si vertement contre cette injuste accusation que j'alerte tout le monde. Certains prennent ma défense, d'autres ne savent pas trop que dire. Soudain, François, qui se tient un peu à l'écart, s'accroupit et s'écrie :

– Venez voir ! J'ai trouvé quelque chose.

Tous se dirigent vers lui. Effectivement, il y a des traces. Grand-Baptiste éloigne les hommes pour ne pas qu'ils les effacent.

– Qu'est-ce qu'elles racontent ? demande Grand-Baptiste.

– Ces pas racontent que le voleur est boiteux.

C'est vrai que ces empreintes ne sont pas normales. Le pied gauche laisse une trace plus profonde. Comme aucun de nous n'est blessé, je pense soudain au *windigo* auquel j'ai mordu la jambe quelques jours plus tôt et j'en fais part aux autres.

Cette fois-ci, les hommes sont moins craintifs. Derrière François et Grand-Baptiste, nous partons à quatre à la chasse au diable mangeur de lard. Au début, la piste est bien visible mais, très vite, elle se perd dans le bois. Il devient difficile de la suivre. Nous nous arrêtons à l'orée d'une petite clairière pour examiner les alentours. L'Abénaquis lève le nez pour humer l'air. Ses yeux se fixent sur un point précis. Je dirige ma lorgnette dans cette direction et, en même temps que lui, j'aperçois notre voleur. Il est perché en haut d'un grand sapin et nous observe. Il est loin, mais je peux distinguer qu'il est couvert de poils et qu'il a, comme nous, deux mains et deux pieds.

– Ce n'est pas un *windigo*, c'est mon ourson, crié-je.

– Le genre d'ourson qui t'envoie en enfer, réplique Grand-Baptiste.

– Que veux-tu dire ?

– Cette bestiole est un *windigo* particulièrement poilu.

Grand-Baptiste ne fait même pas attention à mes yeux ébahis. Il s'empresse de charger son fusil et, comme il se souvient que j'ai un compte à régler avec ce démon, me donne l'arme pour que je tire le premier. Je ne l'ai pas fait souvent, mais je sais me servir d'un fusil, et celui-ci est le plus beau que j'aie jamais vu. Je prends mon temps pour viser, puis je presse sur la détente. La détonation claque. Une seconde plus tard, on perçoit le son de plusieurs branches qui cassent, suivi du cri si bizarre que j'ai déjà entendu.

– Ayayouille!

Il y a un boum, puis plus rien.

– Je l'ai eu! Il est tombé.

Rapidement, nous arrivons au pied de l'arbre. Tout ce qui reste, c'est une fourrure d'ours tachée d'un peu de sang et le sac de lard. Alors, très sérieusement, Grand-Baptiste me dit:

– Il ne reste que la peau. Petit-Baptiste, tu es sans nul doute le premier coureur des bois à avoir réussi à renvoyer un windigo en enfer.

Ces mots m'emplissent tellement de fierté que, en arrivant au camp, je ne remarque même pas le nouveau regard empreint de respect et de crainte que me lancent mes compagnons à la vue de la fourrure du *windigo*.

Mais le voyage doit continuer. Nous ne sommes pas encore arrivés à Michillimakinac. Pourtant, nous en approchons. Après avoir pataugé dans le portage À la Vase, d'où nous sommes tous sortis sales comme des cochons, nous atteignons finalement le lac Huron. Le spectacle est d'une beauté à couper le souffle. Le lac est si grand que je n'en vois pas l'autre rive. Je n'ai jamais rien connu de pareil.

Grand-Baptiste est heureux, car sa brigade a atteint le lac la première. Il offre à tous un régal de rhum, même à moi. Je l'avale en grimaçant ; le goût est horrible.

Sûr de son avance, il décide que l'on peut prendre une pipe de repos avant d'entamer la traversée. Le but n'est pas loin. Les hommes sont guillerets, mais un peu frustrés quand même, car il n'y a pas un poil de vent. François s'approche de l'eau et y jette une pincée de tabac. Il doit sûrement avoir des pouvoirs parce que, cinq minutes plus tard, une légère brise se lève. C'est en riant que mes compagnons montent des voiles sur les canots. Puis nous prenons le large. Certains crient pour attirer le bon vent :

– Souffle ! Souffle ! La Vieille.

Cela semble marcher. Les vagues deviennent vite énormes, ce qui ne me met pas trop à l'aise. Même si je suis courageux, c'est la première fois que je navigue ainsi et je crains un peu que l'on ne coule à pic.

Au large, il y a plusieurs petites îles. Le soir venu, c'est dans l'une d'elles que nous campons. C'est notre dernière nuit avant Michillimakinac.

Au matin, tout le monde prend son temps.

Grand-Baptiste, qui scrute l'horizon, devient soudain nerveux. Il a vu quelque chose.

– La brigade de Sansfaçon ! Tudieu ! ils ont dû vendre leur âme au diable pour nous rattraper.

En effet, les canots filent au loin vers l'arrivée et nous ne sommes même pas à l'eau. Vus d'ici, on les dirait vraiment remplis de démons pagayant avec une infernale vivacité. À cette pensée, je sens un frisson me courir le long du dos, mais le moment est mal choisi pour avoir peur, car il faut agir vite. En même temps que tous les coureurs, je me jette dans un canot, prends ma place, et c'est une course folle qui commence.

Grand-Baptiste hurle ses ordres et les hommes prennent une cadence effrénée. Aidés par le vent, nous filons à vive allure, mais les canots de Sansfaçon ont déjà pris une sérieuse avance. Au loin, je vois apparaître la palissade de Michillimakinac. On tire un coup de canon. Je ne sais pas si c'est pour nous souhaiter la bienvenue ou pour nous avertir que les gens du fort assistent à la course.

Grand-Baptiste crie de plus belle. Les hommes sont en nage et redoublent d'efforts. Nous sommes maintenant tout près des canots de Sansfaçon. Soudain, je tombe presque à l'eau de surprise. Il y a bien un démon à bord d'un des canots ! Je le connais comme si c'était moi qui lui avait donné vie. Il s'appelle Frappe-d'abord.

Les canots sont presque côte à côte, et je le vois me faire la grimace. Il porte un gros pansement à l'oreille. Brusquement, il se jette vers moi et s'agrippe à notre embarcation. En grognant et en tirant, il essaie de nous faire chavirer. Voyant cela, je m'empare d'une pagaie et lui tape sur les mains qu'il retire vivement. Je

me mets à hurler aux hommes d'aller plus vite. Les derniers mètres sont décisifs. Les deux brigades sont à égalité. Grand-Baptiste et Sansfaçon sont debout dans leur canot tels deux dragons hurlants. Les gens sur la rive lèvent les bras et sautent sur place en criant. Finalement, d'un dernier effort surhumain, nous les dépassons de justesse et nous atteignons le quai les premiers. Sansfaçon rage de dépit :

– Grand-Baptiste Fournaise, tu m'as battu cette fois encore, mais tu ne gagneras pas toujours, parole de Sansfaçon.

Grand-Baptiste n'est pas impressionné. Il lui répond en riant :

– Prépare ton baril de rhum, je le partagerai avec tes hommes. Après une course comme celle-là, ils doivent être exténués. Les miens sont frais et dispos. Ils n'ont pas besoin de remontant.

Tous partent à rire, sauf Sansfaçon qui grogne. Je crois qu'il ne pardonnera jamais cette humiliation à Grand-Baptiste.

11

Où Petit-Baptiste navigue entre l'amour et la vengeance

À l'accostage, la foule nous attend. Malgré ce qu'en a dit Grand-Baptiste, les hommes sont fatigués, mais ils acceptent de bonne grâce de répondre aux gens qui les pressent de questions.

– Quelles sont les dernières nouvelles de Montréal ?

– Et en France, que se passe-t-il ?

– Combien y a-t-il de brigades qui vous suivent ?

– Avez-vous du courrier ?

Une dame *Amiot* m'attrape par la manche et me demande :

– Toi, tu dois sûrement connaître ce gueux, ce pendard, ce banqueroutier de *Lamalice.*

À peine j'ouvre la bouche pour lui répondre qu'un jeune soldat me tire par l'autre manche et me demande des nouvelles d'une jeune fille ayant pour nom *Josette Brind'Amour.*

Ils sont tellement excités qu'ils ne me laissent pas le temps de parler. De toute façon, je ne connais ni l'un ni l'autre.

Soudain, j'entends un grand cri de joie. C'est la voix de Grand-Baptiste. Je le vois se jeter dans les bras d'un homme grand et mince

portant un uniforme militaire. Je demande à *Mme Amiot,* qui est toujours près de moi, de qui il s'agit. Elle me répond :

– C'est *Langlade, Charles-Michel Mouet de Langlade.* Son père était trafiquant de fourrures et sa mère princesse de la nation des

Outaouais. Il a gagné de nombreuses batailles contre les Anglais à la tête de nos alliés indiens mais, aujourd'hui, il s'occupe surtout de la traite des fourrures.

Grand-Baptiste me le présente. J'apprends que les marchandises que nous avons transportées sont pour lui. Nous allons loger dans sa maison le temps de notre séjour ici.

Je profite du déchargement des ballots pour pénétrer plus avant dans le fort. C'est un peu décevant. Depuis l'âge de six ans, j'imagine Michillimakinac comme un lieu extraordinaire avec de grandes maisons de pierre d'au moins trois étages et des tours garnies de canons. Je ne trouve qu'une place carrée entourée de méchantes cabanes de pieux couvertes d'écorces. Seule la petite église des jésuites a un peu d'allure.

Tout le monde est encore sur le quai et, pendant un instant, je reste planté comme un coton en plein centre de la place. Brusquement, derrière moi, résonnent des petites plaintes aiguës. Je me retourne et j'aperçois Frappe-d'abord. Il est avec une jeune fille habillée à l'indienne. Il la tient par les bras et veut l'embrasser. La fille tente de se libérer sans succès alors que Frapped'abord rit comme une dinde. Soudain, elle donne un méchant coup de pied dans le tibia de mon ennemi. Il se met à sauter

sur un pied en tenant sa jambe dans ses mains et en criant de sa voix nasillarde :

– Ayayouille !…

Le cri du *windigo* !

En un instant, je comprends tout, le voleur de lard n'était autre que Frapped'abord qui m'a suivi grâce à la brigade de Sansfaçon ! Furieux, je me précipite sur lui et lui expédie le plus superbe coup de pied au cul que j'aie jamais donné. Il s'envole dans les airs et s'écrase dans la poussière. La jeune fille me regarde en souriant tandis que je lance à Frapped'abord :

– Je ne sais pas ce que tu fais ici, mais tiens-toi tranquille sinon, la prochaine fois, je te plante comme un sapin, la tête la première. Tu pourras manger deux cents garnisons de fourmis avant qu'on ne vienne te chercher.

Il se relève et part en courant au moment même où Sansfaçon apparaît. Il se réfugie auprès de lui. Je les vois marmonner un instant puis, avant de disparaître, Frapped'abord se retourne et hurle en levant le poing :

– Tu regretteras ce que tu viens de faire, aussi vrai que je m'appelle Frapped'abord.

Peuh ! Je hausse les épaules, car il me fait aussi peur qu'un papillon ramolli. En revanche, le sourire et le regard froid que me jette Sansfaçon me font frémir. J'oublie vite ces deux escogriffes pour me tourner vers la jeune Indienne qui m'observe toujours. Je me sens rougir comme une pomme à l'automne. Elle est de la même taille que moi, a des cheveux noirs comme une aile de corbeau, de très grands yeux, un nez magnifique et la plus belle bouche du monde. Elle me dit :

– Merci, *Ne'jee* !...

Et elle me donne un baiser sur chaque joue, ce qui me fait rougir encore plus. Ne sachant que dire, je commence à bredouiller :

– N... nédji ?

Au lieu de m'aider, elle se met à rire :

– *Ne'jee* veut dire « ami » en indien. Ici, on utilise des mots français et indiens, car nos deux peuples vivent en harmonie. Moi, par exemple, je suis née d'un père français et d'une mère de la nation des Sauteux. Je m'appelle Onissa et, depuis la mort de mes parents, j'ai été adoptée par mon oncle, *Charles Langlade.*

Elle est la nièce de l'ami de Grand-Baptiste, et je me rends compte que je vais loger dans la même maison qu'elle. J'essaie de lui dire quelque chose d'intéressant, mais mon cœur se met à battre très fort et je réponds comme un imbécile :

– Je m'appelle Jean-Baptiste Létourneau, dit Petit-Baptiste, de Lachine. Je suis apprenti coureur des bois, mais je sais aussi faire des chaussures et j'ai donné plus de raclées à Frappe-d'abord, cette pustule de l'enfer, qu'il n'existe de jurons qui peuvent sortir de sa bouche.

Je suis gêné, mais mes paroles plaisent énormément à Onissa. En fait, je la fais bien rire. Ça me met tout de suite à l'aise. Je sais dès cet instant que nous allons devenir de vrais amis.

Elle m'emmène dans sa maison. En chemin, elle m'explique que, comme tout le monde ici, son oncle vit de la traite des fourrures. L'automne, l'hiver et le printemps, il échange des peaux aux Indiens contre les marchandises qu'il reçoit de brigades de canots comme la nôtre. Il approvisionne aussi les coureurs des bois qui partent plus loin, vers le nord, où les fourrures sont très belles et moins chères.

En entrant, je suis assailli par un énorme chien aussi blanc que la neige. Il jette ses grosses pattes sur moi et me lèche le menton comme s'il me connaissait depuis toujours.

– Il s'appelle Tonnerre, me dit Onissa en le caressant.

Grand-Baptiste et *Langlade* discutent à une table. Ils sont très étonnés de nous voir arriver ensemble. Tandis qu'Onissa et son oncle se retirent pour nous préparer un coin pour dormir, Grand-Baptiste ne cesse de me regarder du coin de l'œil en ricanant et en me lançant des pointes, le niquenouille !

– Elle est vive comme le courant, hein ? Elle te fait fondre le cœur plus sûrement que le beurre fond dans une poêle bien chaude, n'est-ce-pas ?

Grand-Baptiste est mon plus grand ami, mais à ce moment-là, je l'étranglerais !

Pour le punir, je boude fermement et je refuse de lui adresser la parole de toute la soirée. Je me couche tôt, en même temps qu'Onissa qui dort de l'autre côté du mur, ce qui ne m'aide pas à trouver le sommeil. Je n'arrête pas de songer au lendemain où je pourrai la revoir. La nuit qui m'en sépare me paraît plus longue que tout le chemin que je viens de parcourir depuis Montréal.

12

Où nous voyons que Michillimakinac reçoit des invités de marque

Je suis debout à l'aube, en même temps qu'Onissa. Grand-Baptiste me jette un regard amusé pendant que j'avale mon bol de soupe aux pois, car je n'ai d'yeux que pour mon hôtesse.

– Aujourd'hui, je te fais visiter le fort, me dit-elle.

Après avoir averti de ne pas nous attendre pour dîner, nous filons comme deux beaux diables.

Onissa est le plus merveilleux des guides. Elle ne s'offusque pas de mes demandes et prend le temps de m'expliquer chaque chose que je découvre. Tout le contraire de ma voisine de Lachine qui, chaque fois que je lui posais une question, me répondait invariablement : « Dieu, que les garçons sont bêtes ! » Onissa, elle, aime bien mon côté curieux. Plus le temps passe, plus je l'adore.

***

Le fort grouille d'activité. Chaque jour amène de nouvelles figures. Il y a d'abord les « hommes libres », des trappeurs qui travaillent pour leur propre compte. Ils viennent échanger leurs peaux contre les marchandises dont ils ont besoin. Ils ressemblent beaucoup aux Indiens et préfèrent de loin leur compagnie à celle des Français. Le père *Guibaut,* le jésuite qui réside au fort, ne les aime pas beaucoup. Il préférerait que les Indiens deviennent français plutôt que le contraire.

De nouvelles brigades de canots arrivent régulièrement. Certaines ne font qu'un court arrêt avant de repartir plus à l'ouest, vers le lac Michigan ou le lac Supérieur. Mais un grand nombre déchargent leur cargaison à Michillimakinac, qui sert d'entrepôt à tous les petits postes de traite des alentours.

Une de ces brigades amène les « Présents du roi ». Ce sont les cadeaux que le roi de France remet chaque année à nos alliés indiens. La distribution doit avoir lieu aujourd'hui. Autour du fort s'élèvent de nombreux wigwams abritant plus de mille Indiens. Il y a au moins seize nations dont les Sauteux, les Poteouatamis, les Mascoutins et les Ouinipegons.

Le grand-père maternel d'Onissa est grand chef de guerre des Sauteux. Il s'appelle *Minewewe,* ce qui signifie « langue d'argent ». Après avoir traversé le campement, Onissa me fait entrer dans son wigwam pour me le présenter.

Minewewe est bien là et il me dit *mintepin,* ce qui veut dire « assieds-toi ». Puis il commence à parler. Il ne s'appelle pas « Langue-d'Argent » pour rien. Il me raconte comment le chef des animaux, le Grand Lièvre, a conçu la terre sur laquelle nous habitons. Et comment ce même Grand Lièvre a créé les premiers hommes à partir d'animaux. J'apprends que les Sauteux tirent leurs origines de la tortue qui se dit *michillimakinac* dans leur langue.

Près de moi, Onissa s'active à préparer des herbes pour bourrer une pipe qu'elle donne à son grand-père. Celui-ci l'allume et continue son discours. Il parle des hommes blancs qu'il appelle les *waubés*.

– Avant la venue des *waubés*, notre peuple vivait en paix avec la forêt et les animaux, mais l'eau de feu a changé cela. Beaucoup de guerriers sont tombés malades et ont rejoint le grand esprit des Michapous. Les *waubés* chassent plus que de raison et dépeuplent les forêts. Leur sorcier, l'homme à la robe noire, a la langue aussi fourchue que celle d'une vipère. Son Dieu est faible et ne pourra jamais vaincre l'esprit Imakinakos qui veille sur Michillimakinac.

J'écoute avec attention lorsque, soudain, après une bouffée de pipe, *Minewewe* ferme les yeux et se met à fredonner des mots incompréhensibles. Onissa s'approche de moi.

– Écoute, mon grand-père va avoir une vision.

Effectivement, le grand chef se met à parler.

– Le petit homme blanc est lié à Onissa. Je les vois voguer sur la grande rivière vers des terres lointaines où l'hiver est comme l'été.

Il dit encore quelques mots étranges puis continue :

– Qu'ils se méfient du méchant esprit qui flotte au-dessus d'eux et les suit comme l'ombre du loup. *Minewewe* ne le connaît pas, mais il est facile à reconnaître, car il n'a pas de bouche et parle avec son nez.

À peine a-t-il dit cela que, à l'extérieur, retentit un vacarme épouvantable. Onissa se lève en même temps que moi pour voir de quoi il s'agit. Tout d'abord, on ne distingue que des Indiens qui rient à gorge déployée puis, soudain, fonçant à travers la foule, apparaît Frapped'abord qui court comme s'il avait le diable aux trousses. Derrière lui, Tonnerre le poursuit en grognant et en montrant les crocs. La course se termine dans le lac où, finalement, le chien refuse de s'avancer. En voyant Frapped'abord boire la tasse, Onissa et moi sommes pris d'un énorme fou rire et *Minewewe*, qui s'est levé, dit très sérieusement :

– L'esprit des animaux est souvent plus éclairé que celui des hommes.

***

Peu après l'intermède offert par Frappe-d'abord, il y a un grand mouvement dans tout le campement : les Indiens se dirigent vers l'endroit où le grand conseil doit avoir lieu.

En les suivant, Onissa me dit, songeuse :

– Je ne comprends pas pourquoi Tonnerre pourchassait Frapped'abord. À moins qu'il ne l'ait embêté…

– Sûrement, ou alors il a simplement senti son odeur et n'a pas pu la supporter.

Il faut cesser de parler, car nous arrivons à l'endroit où toutes les ambassades indiennes se sont installées en demi-cercle. Le commandant du fort, le sieur *de Fleurimont* apparaît, accompagné d'interprètes dont Grand-Baptiste et *M. Langlade.* Face aux Indiens, il prononce ce discours :

– Votre père, le gouverneur du Canada, aime tous ses enfants. Il tient à en donner la preuve par les présents que je vais vous remettre en son nom. Mais votre père a appris que vous aviez écouté de mauvais conseils en vous engageant à tourner vos armes contre vos frères français. N'écoutez pas ces conseils, ils sont pires que venin de serpent, car les Français sont aussi nombreux que les feuilles des arbres. Ceux que vous voyez à Michillimakinac ne représentent qu'une petite branche venant d'une grande forêt.

Les interprètes traduisent les paroles du commandant, puis chaque chef se lève pour venir assurer ce dernier de sa loyauté. *Minewewe* est le premier à s'approcher. En montrant à *M. de Fleurimont* un long collier fait de petites perles, il dit :

– Ce collier est le gage sacré de ma parole. Il marie la force et la bonne intelligence. Comme la réunion de tous ces grains différents, il nous lie les uns aux autres de sorte qu'aucun de nous ne puisse se séparer des autres. Si quelqu'un veut rompre l'alliance, que son infortune ne retombe que sur lui.

Le commandant assure qu'il fera part de ces paroles au Grand Ononthio. C'est ainsi que les Indiens appellent le roi de France. Cela signifie la « grande montagne ». Il dit ensuite à *Minewewe* qu'il va lui remettre, comme à chacun des autres chefs, la médaille du roi qui symbolise l'amitié entre leurs deux peuples.

Pendant que le grand chef attend, *M. de Fleurimont* se tourne vers un officier et s'entretient avec lui à voix basse. Il y a sûrement quelque chose d'anormal, car le commandant semble s'énerver, et des gouttes de sueur perlent sur le front de l'officier. Très vite des murmures parcourent la foule des Indiens. Grand-Baptiste et *Langlade* viennent à nous. Tandis

qu'ils approchent, plusieurs Indiens se sont mis debout et brandissent leur casse-tête. *M. de Fleurimont* se tourne vers eux. Levant les bras, il leur dit :

– Mes frères, je vous demande d'être patients, les médailles vont bientôt m'être apportées.

Puis il donne des ordres brefs à l'officier qui se sauve en courant, accompagné de plusieurs soldats.

Je demande ce qui se passe à *Langlade.*

– C'est incroyable ! Les médailles ont été volées.

13

Où l'on assiste à un procès peu ordinaire

Le vol des médailles est un affront pour les Indiens. Si les soldats ne les retrouvent pas, la tension risque de monter très vite.

Dans le fort, c'est la pagaille. Les soldats entrent dans toutes les maisons et les fouillent de fond en comble. Onissa m'entraîne chez elle en criant :

– Viens vite avant qu'ils ne mettent la maison sens dessus dessous.

Nous courons aussi vite que nous pouvons, mais nous arrivons trop tard. Il y a déjà des hommes qui pénètrent chez *Langlade*. Je m'apprête à entrer moi aussi lorsque l'un d'entre eux sort de la cabane en brandissant mon sac de cordonnier. Il s'exclame :

– Je les ai ! Je les ai !

Voyant cela, je saute sur mon sac et je tente de le récupérer en tirant dessus.

– Rendez-le moi ! C'est à moi !

Surpris, le soldat lâche prise. Je tombe sur le sol en même temps que mes outils s'y éparpillent. Au milieu d'eux brillent les médailles d'argent. J'en suis tellement ébahi que je ne m'aperçois pas que l'homme pointe son arme sur moi. Onissa, qui a tout vu, prend aussitôt ma défense.

– Arrêtez ! Il n'a rien fait.

Le soldat la repousse du bout de son fusil au moment où l'officier apparaît. Il ramasse les

médailles et nous ordonne de le suivre. Je suis bien obligé d'obéir. Onissa trottine derrière nous en répétant :

– Ce n'est pas lui ! Il est innocent.

Une minute plus tard, je suis devant le commandant. Onissa a disparu et la foule s'agglutine autour de moi. Tenant les médailles dans la main, *M. de Fleurimont* me toise du regard et me demande :

– Qu'as-tu à dire pour ta défense ?

– Je n'ai rien volé. Quelqu'un a dû les mettre dans mon sac.

À ces mots, les habitants du fort commencent à murmurer. Bientôt, plusieurs m'injurient. Je regarde Grand-Baptiste qui, mal à l'aise, ne sait trop que dire. Il prend toutefois ma défense.

– *Monsieur de Fleurimont,* je connais Petit-Baptiste. Ce n'est pas un voleur.

– Je veux bien vous croire, monsieur Fournaise, mais les preuves sont contre lui.

Dans la foule, quelqu'un crie plus fort que les autres, et je reconnais cette voix nasillarde. Je tourne la tête pour apercevoir Frapped'abord qui sourit méchamment en me montrant du doigt.

– C'est lui ! Je le connais. C'est un gueux, un gredin. Il a presque tué mon maître, *M. Douillard.*

Excitée par ces mots, la foule m'insulte de plus belle et je reçois quelques crachats méprisants. La situation devient extrêmement déplaisante. Je commence à avoir peur qu'on me pende lorsque, soudain, j'entends des jappements et j'aperçois Onissa qui se fraye un chemin dans la cohue en tenant Tonnerre.

– Attendez, lance-t-elle ! Ce n'est pas Petit-Baptiste le coupable. Je sais de qui il s'agit.

Surpris, les gens se taisent aussitôt. Le commandant s'approche de mon amie pour lui demander :

– De qui s'agit-il ?

– Lui le connaît, affirme-t-elle en montrant Tonnerre.

À ces mots, tout le monde éclate de rire sauf Frapped'abord qui fait plutôt la grimace.

– Si ton chien connaît le voleur, il ne peut quand même pas nous dire son nom, ajoute le commandant en souriant.

Tonnerre se met à japper vers Frapped'abord. Inquiet, celui-ci recule de quelques pas.

– Peut-être que, après tout, il peut se faire comprendre, continue le commandant en jetant un œil vers mon ennemi, mais le témoignage d'un chien n'est pas suffisant pour accuser un homme.

Soudain, derrière Onissa, apparaît *Minewewe* qui a suivi le dialogue et déclare :

– Mon frère, l'esprit d'Imakinakos peut prendre différentes formes pour rendre justice.

Le commandant ne répond pas tout de suite mais, comme il ne veut pas déplaire à *Minewewe,* il dit à Onissa :

– Très bien, voyons qui ton chien a aperçu.

Mais avant qu'Onissa ne lâche Tonnerre, Frapped'abord prend peur. La sueur au front, il se met à crier :

– Oui, c'est moi, j'ai volé les médailles et je les ai mises dans le sac de Petit-Baptiste, mais ce n'était pas mon idée. C'est Sansfaçon qui m'a dit de le faire pour se venger de Grand-Baptiste. Ne lâchez pas le chien, s'il vous plaît !

Tout le monde se tourne vers Sansfaçon qui cherche à s'éloigner. Quelqu'un veut l'attraper mais, au même moment, Tonnerre, qui tire comme un forcené, s'échappe des mains d'Onissa. Il fonce vers Frapped'abord en jappant et en grognant. Ce dernier se sauve à toute vitesse. Dans le brouhaha, Sansfaçon en profite pour disparaître. En riant, le commandant ordonne à son officier de procéder aux arrestations, et quelques soldats filent derrière les deux compères.

Je sens enfin mes épaules se détendre. À

l'instant même, la main d'Onissa me tire par la manche.

– Viens, me dit-elle, en passant derrière les maisons, nous pourrons peut-être empêcher Frapped'abord de s'échapper.

Nous arrivons sur la place avant les soldats et nous voyons notre voleur essoufflé regarder partout à la recherche d'une issue. Il veut fuir dans notre direction, mais nous aperçoit et s'arrête dans son élan. Pris entre deux feux, il se met à courir vers l'église, puis à tambouriner contre la porte. Les soldats pointent leurs fusils pendant qu'il crie de plus belle pour entrer. Je me lance vers lui pour le capturer quand, subitement, le père *Guibaut* ouvre la porte et demande :

– Que se passe-t-il, ici ?

Frapped'abord s'accroche à sa soutane. Tombant à genoux, il se met à pleurnicher :

– Protégez-moi, mon père, ils veulent me tuer.

– Relève-toi, mon fils, tu as frappé à la bonne porte ! Dans cette église, nul ne pourra t'atteindre.

Frapped'abord entre et, aux soldats qui crient leur dépit, le père *Guibaut* répond par un sourire narquois avant de leur claquer la porte au nez.

14

Où le destin frappe cruellement

Plusieurs jours ont passé depuis la cérémonie. La plupart des Indiens sont repartis. Le père *Guibaut* refuse de livrer Frapped'abord qui n'est plus sorti de la chapelle. Sansfaçon, lui, s'est sauvé à bord d'un canot et a disparu vers l'ouest.

Grand-Baptiste semble très occupé. Il n'a guère de temps à me consacrer. Les ballots de fourrures s'accumulent dans le hangar de *M. Langlade.* Il doit contrôler la qualité de chaque peau et s'assurer que les ballots sont emballés au mieux. Avec son ami, il se lance dans d'interminables discussions sur le prix des peaux et la qualité des marchandises mais, surtout, il regarde souvent le ciel en maudissant le beau temps qui règne depuis notre arrivée.

– Soleil du diable ! S'il ne pleut pas d'ici quelques jours, nous n'arriverons jamais à temps.

– Comment cela ?

– Les rivières sont presque à sec et *M. Pothier* doit encore mener ses fourrures de Montréal à Québec avant que le bateau n'appareille pour la France. Si nous avons trop de retard, je perds une petite fortune.

Je ne sais pas si ses craintes ont un pouvoir sur le temps mais, deux jours plus tard, les nuages commencent à s'amonceler et il se met soudain à pleuvoir à seaux. À la grande satisfaction de Grand-Baptiste, les cinq jours qui suivent sont pires que le déluge.

Je passe tout ce temps avec Onissa. Elle me montre comment faire des mocassins à la manière des Sauteux. Elle est très habile. En comparaison, ceux de *M. Douillard* ressemblent à de vieilles pantoufles racornies.

Le soleil revenu, Grand-Baptiste m'apporte la terrible nouvelle :

– Prépare ton bagage, nous levons le camp.

Je m'y attendais, mais quitter Onissa m'est aussi pénible que m'arracher le cœur. Elle comprend tout de suite de quoi il retourne et me prend par l'épaule en me disant à l'oreille :

– Ne sois pas triste. Ici, il n'y a que des gens qui arrivent et d'autres qui partent. Certains ne reviennent jamais. C'est le Grand Maître de la vie qui en décide. Mais souviens-toi de la vision

de *Minewewe,* il faut y croire. Je sais que nous nous reverrons bientôt.

Malgré ces belles paroles, je reste aussi triste qu'un poisson sans eau.

Le lendemain matin, nous sommes fin prêts. François, qui avait disparu tout ce temps dans la forêt, a réapparu avec le beau temps. La brigade quitte le fort et lorsque je regarde Onissa restée sur la berge, je ne peux m'empêcher de penser que je la vois peut-être pour la dernière fois. Le père *Guibaut* apparaît soudain à côté d'elle. Il est suivi de Frapped'abord qui porte une vieille soutane. Sa tête est complètement rasée. Je dois vraiment faire des yeux très ronds, car Grand-Baptiste me dit :

– Ton ennemi est un petit futé. Il a décidé de devenir frère donné pour échapper à la prison.

– Frère donné ?

– Oui, son sort eut été préférable s'il avait pu se faire jésuite, mais on ne peut le devenir en un seul jour. Pour le reste de sa vie, il sera domestique pour cet ordre religieux sans recevoir le moindre salaire. Si tu veux mon avis, à sa place, j'aurais opté pour la prison.

Je crois que, moi aussi, c'est ce que j'aurais choisi. Malgré tout, je me dis que, avec sa figure de pou, même en restant ici, il ne risque pas de se faire manger par une bête sauvage.

***

Un dernier regard vers Michillimakinac et nous filons sur le lac. Nos cinq canots sont lourdement chargés de fourrures et je constate qu'il nous manque des hommes.

– Laframboise, Laboucane et Ventre-à-terre ont filé en douce avant notre départ, m'annonce Prêt-à-boire. Ils ont préféré devenir des hommes libres. Chaque année, c'est la même histoire : nous perdons plusieurs de nos meilleurs hommes. C'est dur pour ceux qui restent, cela alourdit leur tâche.

– Alors laisse-moi prendre l'aviron ! Onissa m'a appris à m'en servir de mon mieux.

Surpris, il me répond :

– Essaie donc, mon garçon.

Dès le troisième coup de pagaie, il juge que je fais l'affaire, et mon retour à Montréal s'effectue en vrai coureur des bois, l'aviron à la main.

Comme à l'aller, Grand-Baptiste presse ses hommes mais, cette fois, il y met une hâte et une énergie redoublée.

La crainte de rater le navire le rend impatient. Au fil des jours, je le vois prendre de plus en plus de risques afin de gagner du temps. Les hommes murmurent, mais personne n'ose protester ouvertement. La grogne s'accumule car, en plus de la fatigue des portages, il faut supporter le plus petit mais le plus terrible des fléaux : les moustiques ! Il y en a des nuages entiers. Ils nous piquent partout. Même alors que nos corps sont enduits avec de la graisse d'ours, ils ne cessent de nous attaquer. Au portage de l'Éveiller, ils m'ont tellement piqué le visage que ma tête ressemble à un potiron.

Pourtant, il faut les endurer. La seule chose à faire est d'entonner la chanson de circonstance :

Si les maringouins te piquent la tête
De leurs aiguillons
Et t'étourdissent les oreilles
De leurs chansons
Endure-les, et prends patience
Afin d'apprendre
Qu'ainsi le diable te tourmente
Pour avoir ta pauvre âme !

***

C'est au rapide des Chats que le drame survient.

En principe, il faut faire un portage, mais Grand-Baptiste désire plus que jamais gagner du temps.

– Il y a vingt ans, la brigade d'un nommé Jolicœur a franchi ce rapide. Nous pouvons en faire autant ! Nous y gagnerons une journée, s'exclame-t-il.

Manifestement, à la vue du courant impétueux se heurtant aux grosses roches, les hommes ne sont pas chauds. Prêt-à-boire prend la parole.

– Grand-Baptiste, je ne doute pas de ton courage ni de ta capacité d'affronter le danger, mais certains de nos hommes n'ont pas ton caractère et ne sont pas prêts à défier le destin si ouvertement. Crois-moi, mieux vaut arriver tard et en vie qu'entrer au paradis à toute vitesse.

Ces mots mettent Grand-Baptiste dans une terrible colère.

– Bande de poules mouillées ! J'y vais avec mon canot et mon équipage. Vous verrez que la chose est possible quand on sait naviguer.

François me lance un regard où, malgré son impassibilité habituelle, on peut lire une sacrée frousse, mais il n'ose rien dire. Moi-même, juste à la vue du rapide, j'en ai les cheveux qui se dressent sur la tête.

– Laisse au moins descendre Petit-Baptiste, continue Prêt-à-boire, il n'a pas l'âge de mourir.

Grand-Baptiste lance un regard furieux à son compagnon et répond en grognant :

– Petit-Baptiste est libre de descendre s'il le désire.

Il y a un long silence durant lequel chacun attend ma décision. Malgré la peur qui me noue le ventre, je fais confiance à mon ami et je dis :

– Non, je reste !

À ces mots, je peux voir l'expression de Grand-Baptiste changer complètement et je sens qu'il est fier de mon courage. Sur son ordre, le canot s'engage dans le courant.

Au début, tout va relativement bien, mais

rapidement nous glissons au cœur de gros bouillons qui secouent l'embarcation en tout sens. Tout en fixant intensément le rapide, Grand-Baptiste crie ses directives. Mes mains me font mal tellement elles sont serrées sur la pagaie. Je reçois de grosses giclées d'eau dans les yeux. L'homme au gouvernail arrive à maîtriser notre direction pendant ce qui nous paraît de longues minutes qui ne sont en fait que quelques secondes. La force du courant est trop forte. Soudain, un cri, un craquement. Le canot a heurté un rocher et continue sa course. Nous sommes emportés à toute vitesse vers d'énormes roches qui barrent la rivière.

Grand-Baptiste se tourne vers moi en hurlant :

– La branche, Petit-Baptiste ! Attrape la branche !

J'ai juste le temps de voir celle d'un grand pin qui surplombe la rivière. Elle est à ma portée. Comme dans un rêve, je la saisis à pleine main en lâchant mon aviron et je me retrouve suspendu à elle comme une cocotte à sa crémaillère. En dessous de mes pieds, l'eau défile en trombe. De là, j'assiste impuissant à l'affreux spectacle. Prisonnière du courant, l'embarcation de Grand-Baptiste heurte de plein fouet un gros rocher qui émerge de la rivière. Le choc

est terrible. En un instant, le canot, les ballots et mes compagnons sont précipités à l'eau et engloutis.

Je dois faire mille acrobaties pour atteindre la rive. Déjà les hommes courent sur les deux berges pour se porter à notre secours. Mais ils arrivent trop tard. Presque tout l'équipage a péri. Seul François a réussi à s'en sortir. De Grand-Baptiste, nous ne retrouvons que la tuque et l'aviron.

Tout est arrivé si vite que j'ai peine à y croire. J'ai perdu mon meilleur ami. Celui qui m'a permis d'entreprendre ce grand voyage et de rencontrer Onissa. Il m'a tant donné alors que j'ai eu si peu à lui offrir. Je maudis le destin ! Comme je regrette de n'avoir pas pu lui témoigner plus souvent toute mon amitié et ma gratitude. Maintenant qu'il a disparu à jamais, il est trop tard.

La peine peut se lire sur mon visage à trente pas. C'est en pleurant à chaudes larmes que, le soir même, je regarde s'élever une croix portant son nom.

Le voyage doit pourtant continuer et les coureurs des bois décident de tenir conseil. On offre à François de prendre le commandement de la brigade pour le reste du voyage. Brisant son silence habituel, il dit ces mots :

– J'accepte. Je saurai mener nos canots à bon port.

Puis, ému, il ajoute :

– Bien que je sois indien, Grand-Baptiste m'a toujours traité d'égal à égal. Son esprit est maintenant retourné auprès du maître de la vie, mais sa mort reste pour nous une terrible chose. Il était un chef courageux. Il restera longtemps dans nos mémoires comme l'un des plus fameux coureurs des bois. Petit-Baptiste était pour lui comme un fils, et ce petit homme a fait ses preuves. Hier, Grand-Baptiste devait déjà sentir sa destinée, car il m'a confié son fusil en me disant :

– Garde-le. S'il m'arrive malheur, donne-le à Petit-Baptiste en souvenir de moi.

François me tend l'arme et je ne peux retenir une larme. Par pudeur, les hommes baissent la tête. Je déclare alors :

– Je garderai ce fusil, car je sais que, grâce à lui, Grand-Baptiste sera toujours à mes côtés et continuera à vivre, à travers moi, la vie qu'il a toujours aimée.

Tous sont très touchés par mes paroles.

Dix jours plus tard, nous rentrons à Montréal. *M. Pothier* ne cache pas son émotion en apprenant la mort de Grand-Baptiste, même si le risque fait partie de la vie des coureurs des bois. Il me félicite de mon courage et m'invite à prendre part à la prochaine expédition. Bien que je sois heureux de son invitation, le malheur de mon ami me rend moins enthousiaste à l'idée de reprendre l'aviron. Je le remercie et, mon baluchon sur l'épaule, je reprends la route de mon village. Ce n'est qu'en apercevant la ferme de mon père que je prends conscience d'être devenu un homme.

Table

« Boréal Junior », c'est quoi ?

Il y a d'abord « Junior » tout court : des romans illustrés, faciles à lire, pleins d'actions et d'émotions, des romans qui te feront rire ou pleurer, trembler et rêver.

Il y a aussi « Junior Plus » : des romans différents, toujours passionnants mais un peu plus corsés pour les passionnés, des romans qui te feront sortir de l'ordinaire et qui t'ouvriront de nouveaux horizons.

Tu as aimé ce roman ?

Tu aimeras aussi les autres livres du même auteur publiés au Boréal :

Les parfums font du pétard
Le Trésor de Luigi
Le Soleil de l'ombre
Bingo à gogos

Boréal Junior

1. Corneilles
2. Robots et Robots inc.
3. La Dompteuse de perruche
4. Simon-les-nuages
5. Zamboni
6. Le Mystère des Borgs aux oreilles vertes
7. Une araignée sur le nez
8. La Dompteuse de rêves
9. Le Chien saucisse et les Voleurs de diamants
10. Tante-Lo est partie
11. La Machine à beauté
12. Le Record de Philibert Dupont
13. Le Bestiaire d'Anaïs
14. La BD donne des boutons
15. Comment se débarrasser de Puce
16. Mission à l'eau!
17. Des bleuets dans mes lunettes
18. Camy risque tout
19. Les parfums font du pétard
20. La Nuit de l'Halloween
21. Sa Majesté des gouttières
22. Les Dents de la poule
23. Le Léopard à la peau de banane
24. Rodolphe Stiboustine ou l'enfant qui naquit deux fois
25. La Nuit des homards-garous
26. La Dompteuse de ouaouarons
27. Un voilier dans le cimetière
28. En panne dans la tempête
29. Le Trésor de Luigi
30. Matusalem
31. Chaminet, Chaminouille
32. L'Île aux sottises
33. Le Petit Douillet
34. La Guerre dans ma cour
35. Contes du chat gris
36. Le Secret de Ferblantine
37. Un ticket pour le bout du monde
38. Bingo à gogos
39. Nouveaux contes du chat gris
40. La Fusée d'écorce
41. Le Voisin maléfique
43. Le chat gris raconte
45. Vol 018 pour Boston
48. Jean-Baptiste, coureur des bois
50. Le Monstre de Saint-Pacôme
52. Matusalem II
55. L'Œil du toucan
56. Lucien et les ogres
57. Le Message du biscuit chinois

58. La Nuit des nûtons
59. Le Chien à deux pattes
60. De la neige plein les poches
61. Un ami qui te veut du mal
62. La Vallée des enfants
63. Lucien et le mammouth
64. Malédiction, farces et attrapes!
65. Hugo et les Zloucs
66. La Machine à manger les brocolis

Boréal Junior +

42. Canaille et Blagapar
44. Le Peuple fantôme
46. Le Sandwich au nilou-nilou
47. Le Rêveur polaire
49. La Vengeance de la femme en noir
51. Le Pigeon-doudou
53. Le Chamane fou
54. Chasseurs de rêves

Boréal Inter

1. Le raisin devient banane
2. La Chimie entre nous
3. Viens-t'en, Jeff!
4. Trafic
5. Premier But
6. L'Ours de Val-David
7. Le Pégase de cristal
8. Deux heures et demie avant Jasmine
9. L'Été des autres
10. Opération Pyro
11. Le Dernier des raisins
12. Des hot-dogs sous le soleil
13. Y a-t-il un raisin dans cet avion?
14. Quelle heure est-il, Charles?
15. Blues 1946
16. Le Secret du lotto 6/49
17. Par ici la sortie!
18. L'assassin jouait du trombone
19. Les Secrets de l'ultra-sonde
20. Carcasses
21. Samedi trouble
22. Otish
23. Les Mirages du vide
24. La Fille en cuir
25. Roux le fou
26. Esprit, es-tu là?
27. Le Soleil de l'ombre
28. L'étoile a pleuré rouge
29. La Sonate d'Oka
30. Sur la piste des arénicoles
31. La Peur au cœur